ediciones carena

Primera edición: abril de 2011

© Friedrich Dürrenmatt

© de la traducción: Hans Leopold Davi
© Título original: *Denkanstöße* (Diogenes Verlag, 1989)

**Este libro ha merecido una ayuda a la traducción
de la Fundación Suiza para la Cultura
Pro Helvetia - Schweizer Kulturstiftung**

© Ediciones Carena
c/ Alpens, 8
08014 Barcelona
Tel. 934 310 283
www.edicionescarena.org
carena@edicionescarena.org

Diseño cubierta: Davinia Martín
Dibujos y textos de Friedrich Dürrenmatt
Maquetación: José Membrive
Depósito legal: SE-3052-2011
ISBN: 978-84-15021-47-6
Printed by Publidisa

REFLEXIONES DE FRIEDRICH DÜRRENMATT

CON SIETE DIBUJOS DEL AUTOR

ELEGIDAS Y COMPILADAS
POR DANIEL KEEL

TRADUCCIÓN Y PRÓLOGO
DE HANS LEOPOLD DAVI

Hans Leopold Davi

De nacionalidad suiza, nació en 1928 en Santa Cruz de Tenerife, donde vivió hasta los 20 años. Librero de profesión, ejerció el oficio, durante 45 años, en Zúrich, París y Lucerna, donde reside actualmente.

Ha traducido al alemán una antología de Juan Ramón Jiménez y otra de prosistas españoles, y ha traducido al español la *Antología de la poesía suiza alemana contemporánea* (Los Libros de la Frontera, Barcelona, 1998). Como poeta ha publicado en edición bilingüe *Aumenta el nivel de los ríos* (Ínsula, Madrid, 1975) y *Me escaparé por el hueco de la chimenea* (Ediciones La Palma, Madrid, 2000). Sobre sus *Canciones de niños* (Bosshard, Zúrich, 1959) escribió Vicente Aleixandre: "Me sorprendo de su encanto y delicadeza. Una tonada como la de la bandera, llena de frescura, y otras varias le acreditan en este difícil arte de la canción de niños, punzante y acariciador".

PRÓLOGO

Si preguntásemos hoy en nuestro país a un lector medio interesado en literatura suiza por las dos figuras más sobresalientes del siglo XX, dirían, sin titubeos, los nombres de Max Frisch y Friedrich Dürrenmatt. ¡Ellos nos mantuvieron a raya durante varias décadas!

Ambos crearon como novelistas y dramaturgos obras excelentes, reconocidas también allende las fronteras helvéticas. Como ensayistas cáusticos reprocharon a la sociedad en la que les tocó vivir diversas cosas: su autosuficiencia, su incurable aferrarse a los mitos, su temor a perder su dudosa autocracia. Max Frisch, con su cara seria, su carácter reservado y egocéntrico, fue el estilista; Friedrich Dürrenmatt, diez años más joven que su homólogo, con su desbordante carcajada diabólica, el intranquilo y desenvuelto.

Friedrich Dürrenmatt nació en Konolfingen, una pequeña ciudad en el cantón de Berna, el 5 de enero de 1921. Su padre, un pastor protestante. Su abuelo fue consejero federal en la capital helvética e, incidente curioso, autor de poemas satíricos, uno de los cuales le costó diez días de prisión.

Los años de adolescencia de Dürrenmatt son un ir y venir de Berna a Zurich y de Zurich a Berna, de Berna a Basilea, siempre interesado en ampliar sus conocimientos sobre filosofía, literatura y ciencias naturales, en institutos y universidades. Sus lecturas asiduas fueron Kierkegaard, Aristófanes, Trakl y, después, Kafka y Ernst Jünger. Siente una preferencia especial por la pintura, y la cultiva durante años. Publica sus primeras narraciones y críticas de teatro en el periódico *Der Bund*.

En 1947, Max Frisch, después de haber leído su primera pieza *Escrito está*, le alaba y le pone por las nubes, vaticinándole una brillante carrera como dramaturgo. Este hecho convenció al aún novel de no ir por mal camino. Obra tras obra, teatrales, novelísticas y radiofónicas, tienen un éxito nada despreciable. Sin embargo, es en el año 1956 cuando Dürrenmatt, con el estreno fulminante en Zurich de *La visita de la vieja dama*, es catapultado a la primera plana mundial. Se precipitan las representaciones en París (1957), Nueva York (1958), y, posteriormente, en Varsovia, Cracovia, Oslo, Copenhague, Praga, Londres, Madrid, Lisboa, Jerusalén y Tokio.

Un impacto similar ofreció también su siguiente comedia, *Los físicos*, estrenada en 1962, en Zurich; más adelante representada también en Santiago de Chile, México capital y Lima; en 1963 triunfa en Londres, Amsterdam, Palermo, Jerusalén y Buenos Aires; en 1964, en Nueva York.

Al dramaturgo de Konolfingen, que se tenía por un hijo de la naturaleza, le han llovido los premios nacionales e internacionales. En 1960, el Gran Premio de la Fundación Schiller (Suiza); en 1984, el Premio a la Literatura Europea del Estado austríaco; en 1986, el Premio Georg Büchner (Alemania). Varias universidades le concedieron el *honoris causa*. El autor sugirió que el Nobel no debería reservarse a novelistas o dramaturgos, sino sólo a poetas.

En 1952, Friedrich Dürrenmatt se había trasladado con su esposa, la actriz Lotti Dürrenmatt-Geissler, y con sus tres hijos, a su nueva casa, en Neuchâtel. Se sentía a gusto en su nuevo ambiente. Su afán de trabajar era ilimitado. Desde algún tiempo había descubierto el hábito de escribir y dibujar o pintar alternativamente, para así, decía él, mantener los demonios a distancia.

En los últimos años, Dürrenmatt coronó su intensa obra con sus *Obras en marcha*, una síntesis de autobiografía y ensayo; *Laberinto I y III (1981)*, y *Construcción de la Torre IV-IX (1990)*, en la que confiesa: "La historia de mi literatura es la historia de mis obras en marcha, el resultado de mis reflexiones, mi pensamiento y, con ello, también mi vida". Una de sus claves fue plantear la pregunta de la libertad y la culpa del individuo en un mundo complejo y confuso, con sistemas de poder anónimos.

Dürrenmatt era un sibarita: le gustaba banquetear y era capaz de beber más de dos copitas. No se dejaba intimidar por la fastidiosa diabetes y la obesidad. Él, que siempre había contado con todo lo vital, murió el 14 de diciembre de 1990 en su residencia, en lo alto de una colina con vistas al lago de Neuchâtel.

Daniel Keel, fundador de la editorial Diógenes (Zurich), tuvo la excelente idea de recoger cortos extractos de todo lo publicado por Friedrich Dürrenmatt hasta el año 1986 en un librito: *Reflexiones*, algo así como un vademécum. Pequeño, pero con peso específico. Hojeándolo no es difícil reconocer inmediatamente la múltiple gama de temas de este autor inigualable: sus visiones, sus temores, sus esperanzas tienen, aún hoy día, validez. Me parece oportuno que, en 2010, vigésimo aniversario de su muerte, haya sido recordado.

También querría agradecer a mi amigo Felipe L. Aranguren, quien, como primer lector incondicional, me ha echado una mano en estas *Reflexiones* en castellano.

Hans Leopold Davi

En la lengua alemana existen dos términos: hacerse una idea y estar al corriente. No estamos nunca al corriente sobre nuestro mundo si no nos hacemos una idea de él. Este quehacer es un acto creativo.

Quiero expresar libremente mis ideas, no aún definitivamente formadas; lo hago por el motivo de que se me pregunta como escritor, como autor de comedias, y no porque yo conceda más valor a estas reflexiones personales. Esto me parece bien. En el 'Simposium', Platón, junto a Sócrates, concedió también la palabra a Aristófanes. Yo rechazo, por lo tanto, presentarme como pensador; me puedo expresar más despreocupado como diletante activo que perteneciendo al gremio, y eso puede tener también, a veces, su lado bueno.

VIDA COTIDIANA

Debemos tener el valor de respaldar nuestra época. Pero de manera tranquila. También ella tiene sus héroes y sus caballeros-bandidos, y en la economía no reina más misericordia que en la batalla del bosque de Teutoburg. Ni duques ni generales, sino hombres de negocios, pequeños tenderos, industriales, banqueros, escritores, son los portadores de roles de nuestro tiempo. Más exacto aun: todos nosotros lo somos y la actuación que debemos soportar, representar, resistir, es la de nuestra vida cotidiana.

ILUSTRACIÓN

Tenemos la tendencia a subestimar la época de la Ilustración. Quizás porque nos haya desengañado o decepcionado o porque añoramos los tiempos de la fe indiscutida, echando de menos el tibio nido del no poner en duda. Tiritamos de frío cuando pensamos en la Ilustración. La época de la Ilustración colocó, como sabemos, la Razón en el lugar de la Fe y la Razón es algo frío. Esa época engendró el nuevo saber científico, pero nosotros nos resistimos a reconocer ese nuevo pensar como pensamiento filosófico, a pesar de que, como nunca lo hizo otro pensamiento, cambió el mundo y se adentró en zonas que antes eran asunto de la especulación filosófica.

IMAGEN

El pensar abstracto del ser humano, la actual falta de imagen del mundo, regido por abstracciones, ya no se puede eludir. El mundo se transformará en un monstruoso espacio técnico o se hundirá. Todo lo colectivo crecerá, pero su importancia espiritual disminuirá. La posibilidad de éxito aun la tiene sólo el individuo. El individuo debe resistir ante el mundo. Desde el individuo hay que volver a ganarlo todo. Sólo desde él, esa es su cruel restricción. Que el escritor abandone la ambición de querer salvar al mundo. Que se atreva otra vez a conformar el mundo: de su falta de imagen a hacer una nueva imagen.

EL ORDENADOR

El ordenador es una prótesis del cerebro humano. Es una máquina. Lo que el animal realiza durante la evolución, que dura millones de años, en que, digamos, el saurio mediante la transformación de sus huesos en el transcurso del tiempo se desarrolla hacia un saurio de tierra, aire y mar, eso lo realiza el ser humano, gracias a sus máquinas, con mayor perfección que el reptil. Nos aceleramos en automóviles, volamos en aviones y misiles, nadamos en barcos. Sin la técnica los humanos ya no son viables. Las máquinas, cuanto más perfectas las construimos, realizan nuestros trabajos y también gobiernan sobre los humanos. Los humanos pueden ser gobernados objetivamente sólo por máquinas, aparentemente no les queda más remedio que confiar en ellas. Sólo gracias a la automatización absoluta se pueden librar de la lucha por la existencia, sólo gracias a las máquinas. El humano se convierte en consumidor total, el consumidor que, por consumir, no necesita trabajar.

¿Qué será importante para este ser humano? ¿Obras de arte? ¿Se desplegará una tremenda pintura de domingo? ¿Habrá aun una política o será una farsa la política? ¿O una ceremonia? ¿Habrá solemnes manifestaciones de protesta contra las resoluciones irrefutables de los ordenadores, cuyo sentido sólo salta a la vista a los propios ordenadores? ¿Surgirán nuevas sectas, nuevas religiones porque los humanos, materialmente seguros, se interesarán solamente por lo metafísico?¿Barrerán sangrientas guerras de religión el mundo dominado por los ordenadores? ¿Serán exterminados los afeitados por los barbudos? ¿Será el futbol tan existencial que los aficionados de los diversos equipos se mutilen mutuamente? ¿Se formará un nuevo clero que domine sobre los humanos? ¿Nos arrebatará un puñado de peritos industriales que manejan los ordenadores el dominio sobre el planeta? ¿Desencadenará la humanidad dominada por los ordenadores una revolución contra las máquinas? ¿Volverá el ser humano a convertirse en un troglodita?

DEMOCRACIA

La democracia es una de las grandes ideas políticas de los seres humanos. Para ello se encuentran en Suiza indicios y enfoques diversos. La democracia es un intento de un sistema de poder en el que muchos participan, en lo posible, en el poder: la mayoría domina sobre la minoría.

Mas cuanto más complicado se convierte el poder, tanto más complicada será la realización de la democracia; Suiza, en la que aun existen posibilidades de una democracia directa, no es una excepción. Un país no sólo debe ser gobernado, sino que también debe ser administrado. No sólo hay que tomar decisiones, estas también deben ser realizadas. La política está integrada por políticos que determinan la política y de funcionarios que ejecutan la política.

Cuanto más complicado se vuelve el aparato político global de un país, tanto más se convierten los políticos en funcionarios y los funcionarios en políticos.

EL PARLAMENTO

El Parlamento se representa, en realidad, sólo a sí mismo y representa sólo ideológicamente al pueblo. La estructura de la edad moderna en la que cada cual, en cierto modo, es un empleado, trabaja en oposición a la democracia. Cada uno está acostumbrado a dejarse administrar. La democracia, sin embargo, presupone crítica y la costumbre de vigilar de cerca al gobierno. Un Parlamento, en cambio, formado sólo por empleados y funcionarios, cae en la tentación de prescribir al pueblo como debe comportarse. Debemos ser demócratas obedientes.

SOCIALDEMOCRACIA Y DEMOCRACIA POPULAR

El dilema de la democracia: ofrece el Estado social, pero Estado social significa más Estado, lo que el Estado de la clase media también ofrece, también tiene que aceptar un plus de Estado. La ley de la mayoría impone a todos el Estado social. La coalición del Estado socialdemócrata con los partidos burgueses es lógica: ambos no quieren lo mismo, pero tienen que hacer lo mismo. Eso corresponde también a la realidad, donde uno de los dos, a veces uno, a veces el otro, está en la oposición, pero donde cada uno, una vez en el poder, tiene que añadir un más al Estado. El temor de ambos es, desde luego, diferente, aunque asociado a mucha demagogia. Los burgueses temen a la socialdemocracia popular y los socialdemócratas a la dictadura.

CONTRA EL ESTADO. PARA EL ESTADO

Sólo así tiene aun la democracia un sentido: en la lucha contra el Estado desde el Estado y en la disputa con la institución desde la institución, como intento de humanizar al Estado. La política no permite más que humanizar al Estado, si no se convierte en una aventura.

PENSAR

La humanidad se ha retirado, aplicando un concepto de la física, del terreno de los números pequeños al de los números grandes. Así como en las estructuras que encierran infinitos átomos reinan otras leyes que en interior de un átomo, así se transforma el comportamiento de los humanos, si pasan de lo relativamente abarcable, respecto al número de habitantes de las pequeñas comunidades del viejo mundo, a los inmensos imperios de nuestra época. Hoy nos vemos ante organizaciones del Estado en las que la afirmación de que sean patrias sólo se aplica con cautela. Al mismo tiempo la política de hoy se esfuerza, a menudo, en mantener ideas que ya no corresponden a la realidad del Estado. Por ello la impresión general de hallarse frente a un Estado-monstruo, malicioso, abstracto, impersonal. La política en el sentido antiguo apenas es posible. Necesitamos un dominio técnico de los espacios técnicos, una nueva distinción de lo que pertenece al emperador y lo que es de Dios, aquellos sectores en los que la libertad es posible. El mundo en que vivimos no ha entrado tanto en una crisis de conocimiento, sino en una crisis de la realización de sus conocimientos. Se encuentra sin tiempo presente, o bien demasiado arraigado en el pasado o bien cae en un futuro utópico. El ser humano vive hoy en un mundo que conoce menos de lo que suponemos. Ha perdido la imagen y es esclavo de las imágenes. Que hoy llamen a nuestra época la era de las imágenes tiene su razón de ser en que, en realidad, se ha convertido en una de las abstracciones. El ser humano no comprende lo que está en juego, considera estar a merced de las olas, los acontecimientos en el mundo le parecen demasiado poderosos para que él pueda participar: lo que se dice le es extraño, el mundo le es extraño. Siente que se ha erigido una visión del mundo que sólo entiende el científico y es víctima de los artículos del consumo de masas, de ideologías corrientes y de visiones del mundo que son lanzadas al mercado y que encontramos en cada esquina.

LA TIERRA

La metáfora del buque.

Comparando el planeta en el que vivimos y no tenemos, a pesar de la cosmonáutica, otro a nuestra disposición, podemos comparar la Tierra con un buque y me encuentro en condiciones de dar una descripción del orden que reina en las diversas clases de los camarotes e indicar las diversas reglas para la convivencia, digamos, la necesidad social de llevar un smoking al almorzar. Esta descripción se pone en duda, sin embargo, cuando cambia la cantidad de pasajeros. El orden y la descripción de ese orden sólo estará asegurado si la cantidad de pasajeros fundamentalmente queda igual: si disminuye la cantidad de pasajeros o aumenta el orden de las diversas clases los datos se vuelven sospechosos. La primera clase consiste en camarotes individuales, la segunda de camarotes dobles y la tercera de camarotes-decena; ese orden no tendría sentido si en cada clase sólo hubiese un

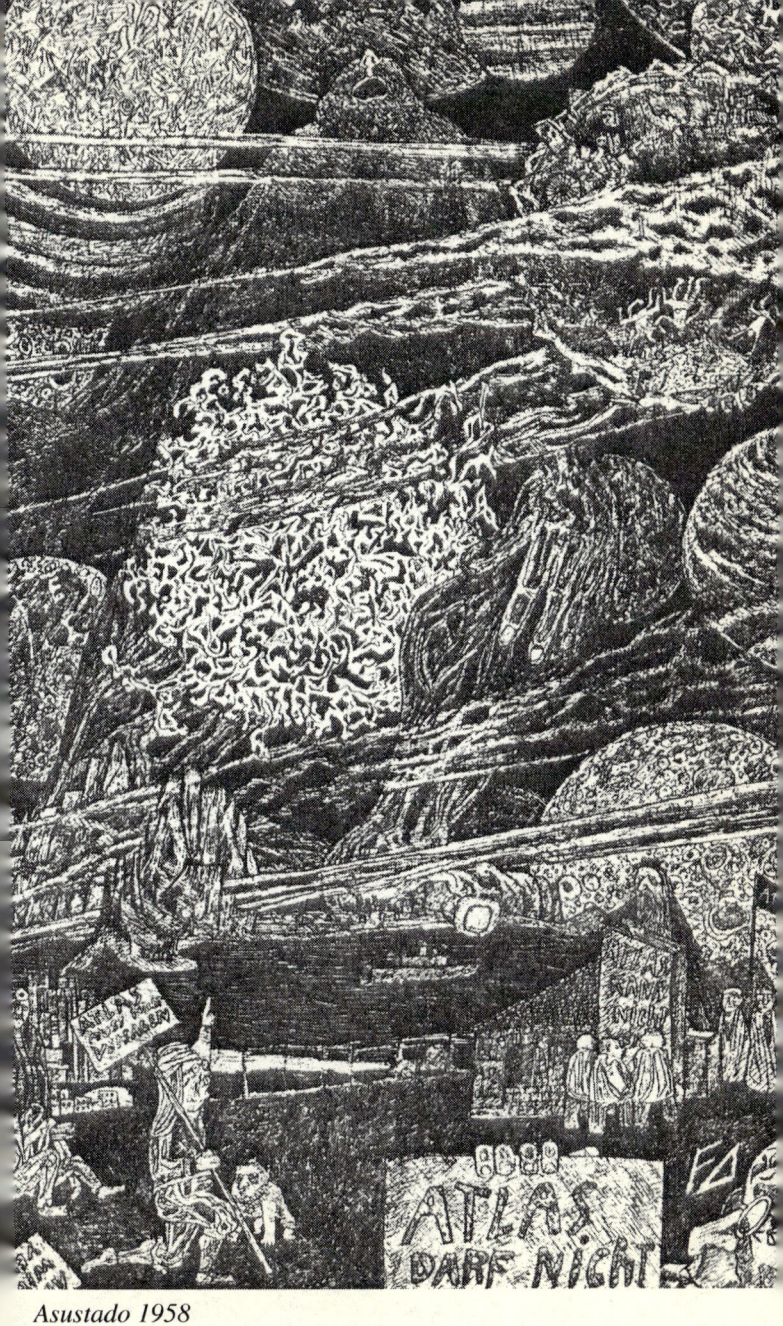

Asustado 1958

pasajero. Cada pasajero de la primera clase posee un camarote, pero los de la tercera clase los camarotes más grandes. También tiene lugar, de puro hastío, la agrupación de pasajeros; el llevar un traje de etiqueta molesto, por falta de compañía, hace innecesario apretarse en un traje de etiqueta si los demás se pasean con una camisa abierta; si se abarrota el buque de pasajeros también se desploma el sistema de clases.

En un buque normalmente ocupado reina en la primera clase el principio de libertad. Cada pasajero posee su propio camarote y debe sentirse libre y sin ser molestado. La segunda y la tercera clase se ajustan más por el principio de justicia. Si aumenta, sin embargo, la cantidad de pasajeros, con el tiempo, ya no se podrán ofrecer camarotes individuales, se adoptarán medidas más rigurosas para la convivencia de los pasajeros. Tanto el camarote individual como el smoking serán privilegios que molestan tanto más cuanto más aumente el número de pasajeros. La necesidad de ser justo depende, por consiguiente, de la cantidad de pasajeros: cuanto mayor sea la cantidad tanto menor será la libertad de cada individuo hasta que, acorralado en todas las clases no le quede más que la libertad del espíritu.

Respecto a nuestro planeta: cuanto mayor es la densidad de su población, tanto más determinante será la justicia, tanto mayor será su primacía.

El 20 de julio de 1969 no inició una nueva época sino el intento de marcharse a hurtadillas del no superado siglo al cielo. No se confirmó la razónhumana, sino su impotencia. Es más fácil viajar a la Luna que cohabitar en paz con otras razas, más fácil que una democracia y un socialismo auténtico, más fácil que vencer el hambre y la ignorancia, más fácil que evitar la guerra del Vietnam o terminarla, más fácil que encontrar al verdadero asesino de un presidente, más fácil que hacer la paz entre árabes y judíos o entre los rusos y los chinos, más fácil que irrigar el Sáhara, más fácil que el pequeño grupo de etnia blanca colonizador del continente australiano se abra a otras razas, más fácil que volver a fertilizar aquella llanura que había sido antaño Mesopotamia entre el Tigris y el Éufrates. El vuelo a la Luna no es lo peor, no es otra cosa que una de aquellas aventuras técnicas que, gracias a la aplicación de las ciencias, siempre volverá a ser posible. Lo malo es la ilusión que despertó.

Un nuevo Colón es imposible, pues él descubrió un nuevo continente que hubo que poblar; el Apolo11, por otro lado, no alcanzó nada que correspondiera con la Tierra, alcanzó sólo el desierto de los desiertos, la Luna. Cuán lejos recorramos nuestro sistema solar, siempre las condiciones en los otros planetas serán malas, tan lamentables, tan inhumanas, que esos mundos, desde la Tierra, nunca podrán ser poblados. Si se diera el caso de que en la Luna o en Marte hubiera un instituto astronómico con una atmósfera artificial (lo espero) eso no cuenta comparado con lo que nos ocurrirá en la Tierra.

CONOCIMIENTO

Puesto que la exigencia "conócete a ti mismo" es difícil y sólo se puede cumplir insuficientemente porque cada cual se engaña facilísimamente a sí mismo, esto nos coloca ante el intento de reconocer al otro ante barreras insuperables. Aunque seamos íntimo amigo de alguien, aunque lo amemos, lo respetemos, aun siendo su adversario, no lo conocemos como es, conocemos sólo señales que nos llegan de él, efectos que provienen de él, hechos que se constatan, que se dejan juntar. Presenciamos al otro, a menudo insistente, a veces conmovedor, mas nuestros conocimientos sobre él son atrozmente limitados, como atrozmente limitada es la posibilidad de ayudarle. El espacio real de los humanos es infinitamente mayor de lo que queremos reconocer, que el amor, la amistad o hasta la enemistad quiera reconocer. Su camino lo tiene que recorrer cada cual por sí mismo, siendo lanzado a una ruta que lo separa inevitablemente y siempre más de los otros hasta la muerte.

FASCISMO

No es una casualidad que cada fascismo esté aliado con una literatura de sangre y patria. Lo que es emocional también debe ser ritual. Como nosotros distinguimos, en nuestro tiempo, entre un arte ardiente que apela más al sentimiento y un arte frío, que corresponde más al entendimiento, así también podemos hablar de una política ardiente y de otra fría. El fascismo seduce, como todo lo emocional, con una política ardiente. El individuo se deja tentar por él hacia una identificación con una realidad emocional; en general se desprenden de él todas las emociones, las positivas y las negativas, el amor, la fe, la lealtad, el odio, la agresión, etc., sentimientos que, en contacto con una política meramente ardiente, se vuelven destructivos y hasta propensos al suicidio.

LIBERTAD

Puesto que en nuestro orden social recurrimos a la libertad, también nos hemos acostumbrado a hablar de la libertad del escritor. Generalmente se ha comprobado, con alivio, que el escritor del oeste es libre; el escritor del este, en cambio, es un esclavo; es cierto que está bien pagado, pero no puede escribir lo que quiere. La libertad del espíritu se ha vuelto el argumento principal contra el comunismo, no sin vacilaciones: quien sigue, sólo un poco, el desarrollo de los acontecimientos, ve fácilmente que los rusos hacen más por el espíritu que nosotros, aunque sólo sea por esforzarse en la educación nacional y en las ciencias, de las que están más hambrientos que nosotros. Ellos nutren realmente un espíritu encadenado, quedando una pregunta en el aire: ¿cuánto tiempo duran las cadenas?

PAZ

¿Qué es la paz? Desde el punto de vista de la guerra, como se la considera aun hoy a veces desgraciadamente, algo positivo, exclusivamente positivo. Como la tierra para el marino en peligro de naufragar. Paz significa entonces y ante todo niño en la cuna, campos de trigo ondulantes, repique de campanas en las iglesias o cantos en el koljós. Mas observando la paz, no desde el punto de vista de la guerra, sino de la paz misma, pierde esa señal positiva, pero tampoco tiene ninguna negativa. La paz es algo inconmensurable. Por sí sola la mente podría fácilmente alcanzarla, sus axiomas son fáciles de enunciar.

Las enormes tareas que nos presenta el mundo y que nos son visibles a todos, se cruzan continuamente con preguntas sobre el poder, los dogmas, al nacionalismo; la reflexión política va con retraso. Mirado cada uno individualmente, como individuo en particular, la paz adopta también otra cara más verdadera: se convierte en vida cotidiana, en preocupación por el pan de cada día, en el escenario donde se desarrolla la vida humana como comedia, como tragedia, pero normalmente como un drama moderado y sin tensión, en el que no hay posibilidad de huir.

Sólo en lo privado puede existir aun hoy: orden en el mundo y se realizará la paz. Esta es una frase cruel. Mas no perdamos todos la esperanza en una paz común. No exigimos mucho. Pues hay que verlo claro: la paz no es nada, sino una evidencia que, en sí, no resuelve problemas. Esa es su inmanente dificultad. Aquí acecha el peligro: se espera demasiado de ella.

Dar a la lucha un sentido es fácil porque nos engañamos al pensar que el sentido de luchar conduce a la paz; con ese engaño colocamos el sentido en un fin fuera de nosotros, lo colocamos en nuestro adversario y así en lo inalcanzable, puesto que aun derrotando al adversario aparece ante nosotros otro adversario para vengarse por el derrotado y nosotros, para no sucumbir a su venganza, volvemos a tener que vengarnos: así aplazamos la paz de un momento a otro en vez de conseguirla.

La paz hay que afianzarla, resistirla, apoyarla; en cierto modo quizás es más difícil que sufrir una guerra.

ASTILLAS MENTALES

Un mendigo que cae en apuros es un diletante.

Por desgracia, desde hace ya mucho tiempo, la explotación no es un privilegio exclusivo de los capitalistas.

El ser humano se encuentra siempre tremendamente cercado por cosas que él en verdad maneja, pero que ya no comprende.

Pensar es peligrosísimo si es que merece su nombre.

El que tilda a un dictador de demonio, en secreto lo admira.

En las cárceles se tiene para leer sólo literatura positiva.

Nada le cuesta a la humanidad más caro que una libertad barata.

La Tierra es una oportunidad.

Conservad lo bueno, olvidad lo mediocre y aprended de lo malo.

De los ideales se habla tanto porque no cuestan nada.

La cultura no es una excusa.

Construcción de la torre 1952

çLa humanidad necesita una dieta y no una operación.

La neutralidad es una táctica política, no una moral.

La neutralidad es el arte de comportarse lo más provechosamente posible y lo más inofensivamente posible.

No hay nada tan barato como el pesimismo ni nada tan negligente como el optimismo.

Lo que una vez fue pensado no puede revocarse.

Mitos falsos llevan a una política falsa.

Lo más difícil es no justificarse.

El destino, de por sí malicioso, quiere travesuras, su labor es divulgación, no bella literatura.

Escribir acaece o bien de una manera infinitamente rápida o bien de una manera infinitamente lenta.

Algunos escriben como si la literatura fuera un epitafio.

Todos los diletantes escriben con gusto. Por eso algunos escriben tan bien.

Se mecen con la literatura en seguridad.

Muchos no escriben, sino que cultivan estilo.

Quien cultiva estilo genera sólo pasatiempo.

Lo mejor en la situación mundial de hoy es que la escritura vuelve a ser peligrosa.

El que quiera ocultar un escándalo grande ponga en escena, en el mejor de los casos, uno pequeño.

Así como no existe un Estado cristiano tampoco existen partidos cristianos.

Así como el humano inventa motivos para justificar sus actos, inventa también consuelo para sus penas.

El que espera el Apocalipsis es capaz de soportar inmensas penas, el que lo quiere provocar es capaz de causar terribles crímenes.

No hay que cesar de imaginar como sería el mundo si fuera más razonable.

Muchos se han desanimado porque un cretino como Hitler pudo llegar al poder, pero otros también se han animado.

El mundo, como problema, casi no es posible de resolver, e imposible como conflicto.

Cuanto más sistemáticamente obran los humanos, tanto más enérgicamente los puede castigar la casualidad.

¿Es la cultura algo que se puede salvar?

Con los nietos nonatos se suele disculpar todo con frecuencia.

Que uno pueda, por evitar la muerte, tomar las de Villadiego, es a veces injusto.

DINERO Y ESPÍRITU

Hay negocios cuyo entramado es tal que sería sumamente inmoral llevarlos sólo moralmente y otros que son tan inmorales que deben llevarse sólo moralmente. Esto son más que matices. Estas distinciones remiten a necesidades que son dictadas por los fines de la vida comercial. El fin de un negocio reside sin embargo en su rentabilidad: llevar un negocio que no rinde es inútil. Por eso debe rendir también la profesión de literato. ¿Pero cómo? ¿Bajo todas las circunstancias o sólo bajo ciertas? Si se intenta hablar, no tan profundamente, pero seriamente sobre la profesión de literato, es necesario antes aclarar algo sobre el modo de este negocio. Aquí tropezamos con una dificultad. Un banquero sabe o debería saber a lo que se dedica. Su negocio se deja delimitar sin que otros, como valores materiales a toda costa, lo tengan que justificar. Los escritores, por el contrario; tienden a presentar sus asuntos y sobre todo sus buenos asuntos como resultados de los que depende, en el acto, el Occidente entero. El espíritu debe responder como excusa al pretender haber hecho un negocio, fingiendo como si, desde el punto de vista del espíritu, la pregunta sobre la parte comercial fuese a priori irrelevante. Así resulta una competencia inmoral que no se desaprueba porque en nuestro mundo siempre están también el resto de negociantes, sobre todo los banqueros y los políticos: se ha pasado a utilizar el espíritu como excusa. Se crea con el espíritu, mientras los negocios se presentan al paso. La pregunta es si el escritor es de la partida, si se considera como un espíritu con privilegios extra o como un negociante honrado. Es un caso de conciencia, si no es el caso. Si el escritor se valora como un ser excelso, se califica de poeta, tiene que designar la pregunta sobre su negocio como frívola al no ejercer un negocio, sino al presentarse como un elegido. Eso lo hacen desenfrenadamente muchos más de lo que pudiera creerse. Se sienten en una seguridad relativa. A clérigos y poetas no se les pregunta por sus negocios, los resuelve el cielo. Mas si el escritor se enrola y figura entre los negociantes, también puede en todo caso aspirar a escapar de la prostitución, a coger dinero para el espíritu: negándose firmemente a producir valores espirituales, fabricando materias, pero no consuelo, explosivos, pero no tranquilizantes. La mercancía es lo que cuenta.

JUSTICIA Y DERECHO

Si queremos construir un orden social justo con el material humano que tenemos a nuestra disposición, hay dos posibilidades: podemos partir del concepto específico del humano, del individuo o bien del concepto general del humano, de la sociedad. Tenemos que elegir. Pero antes de elegir debemos tener bien clara la justicia que queremos realizar a través de un orden social. Mas como el ser humano presenta dos conceptos, posee también dos ideas de justicia.

El derecho de cada individuo consiste en ser él mismo: a ese derecho le llamamos libertad. Es el concepto especial de la justicia que cada uno se hace de sí mismo, la idea existencial de la justicia.

El derecho de la sociedad consiste, por otro lado, en garantizar la libertad de cada individuo, lo que sólo puede garantizar si limita la libertad de cada cual. A ese derecho le llamamos nosotros justicia, es el concepto general de la justicia, una idea lógica. La libertad y la justicia representan ambas ideas, con las que opera la política en tanto que consiga de los humanos que acepten ambas ideas. Si la política deja caer una de las ideas se convertirá en una política sospechosa. Sin la libertad se volverá inhumana y sin justicia igualmente. Sin embargo, la relación de la libertad con respecto a la justicia es problemática. Un tópico general define la política como el arte de lo posible; sin embargo, mirándolo bien, se muestra como el arte de lo imposible. La libertad y la justicia se condicionan mutuamente sólo en apariencia. La idea existencial de la libertad está asentada en otro nivel que la idea ideológica de la justicia. Una idea existencial está dada emocionalmente, una idea lógica está redactada. Se puede imaginar un mundo con libertad absoluta y un mundo con justicia absoluta. Ambos mundos no se corresponderían, sino que se contradicen mutuamente. Ambos representarían, por cierto, un infierno: el mundo de la libertad absoluta, una jungla donde el humano sería cazado como un gato montés; el mundo de la justicia absoluta como una prisión donde el humano será torturado hasta la muerte. El arte imposible de la política consiste en reconciliar la idea emocional de la libertad con la complicada idea de la justicia. Eso sólo es posible a nivel de lo moral y no a nivel de lo lógico. Dicho de otra manera: la política no logrará jamás ser una ciencia pura.

SOCIEDAD

Una sociedad que sólo sabe producir mercancías y no valores es inverosímil si apela a valores. Esto vale para el Este y el Oeste. Las ideologías se han derrumbado tanto aquí como allí, no sólo por lo que proclaman, sino sobre todo por lo que no proclaman. Que las ideologías al uso fracasan ante las estructuras sociales es evidente; que algunos aun se atreven a propagar esas ideologías, empleándolas como excusa, salta igualmente a la vista.

Donde sólo existen mercancías y mercados se convierte el Estado en una maquinaria administrativa y la universidad en un lugar de ciencia y técnica. Mas cuanto más desesperadamente quiera el Estado ser una patria y la escuela superior una universidad, tanto más instintivamente se defienden de que se pregunte por su funcionamiento, exigen confianza. Así se vuelven igualmente inverosímiles, como la sociedad que se sirve de ellas.

No existe un orden social porque el humano, si busca la justicia, debe percibir cada orden social como injusto y si busca la libertad debe percibir cada orden social como un no ser libre.

Parece lógico que sólo exista una posibilidad. Si se comprueba que en ambos juegos una institución actúa como gran vencedora y al mismo tiempo el ser humano cae bajo la soberanía de otros humanos que manejan esa institución, no nos queda más remedio que separar el concepto de humano que no puede ser gobernado de su concepto lógico, que es determinado y gobernar tan sólo la parte determinable por los ordenadores.

CREENCIA

Hay momentos en que puedo creer y hay momentos en que debo dudar. Lo peor, creo yo, es querer creer lo que sea que se quiera creer, sea el Cristianismo o cualquier otra ideología. Pues el que quiere creer debe reprimir sus dudas y el que reprime sus dudas se miente a sí mismo. Sólo quien no reprime sus dudas está en condiciones de dudar sin desesperarse, pues el que quiere creer desespera cuando, de pronto, no puede creer. Pero quien se pone en duda, sin desesperar, está quizá en el camino de la creencia. Sin alcanzarla jamás. A cual creencia se encamina es asunto suyo. Es el secreto que lleva consigo, pues cada profesión de fe no es demostrable y lo que no se puede demostrar lo debe guardar cada uno para sí.

DIOS

Existe un Dios sobre cuya existencia ningún humano puede decidir; así la duda en su existencia no es otra cosa que el velo elegido por Dios poniéndolo delante de su rostro para esconder su existencia; si no existe, entonces las palabras con las cuales nosotros especulamos sobre él es hablar al aire, a los cuatro vientos, como todas las palabras humanas.

Dios queda completamente fuera de cualquier declaración; sin habla, sus palabras reveladas, independientes de la creencia en ellas o en él, aunque sólo lo simulemos como un ser fuera del mundo, penetran desde fuera en nuestras esferas lingüísticas como meteoros en la atmósfera terrestre de lo completamente sin lengua y sin concepto: no puede existir una concepción más significativa, una ficción más arriesgada; si es una concepción verdadera queda indemostrable, pero también irrelevante en el campo de la lógica. El espíritu humano se comporta planeando, no es verdadero, penetra en la verdad mediante conceptos, lo que no es idéntico a la verdad. Dios está muerto es igualmente una frase tan poco significativa como El cero está muerto. La realidad no tiene necesidad ni de Dios ni del cero, así como tampoco el cielo estrellado precisa los telescopios.

HUMOR

Me sucede a mí como a uno que abandonó su casa hacia el Este y siguiendo tozudo su ruta, aprovechando todos los medios de transporte imaginables vuelve a encontrarse de repente, viniendo por el Oeste. Si salió por la puerta delantera ahora se encuentra ante la puerta trasera y tropieza con los fragmentos viejos, con todo lo comenzado a medias, lo abandonado, hasta con lo sólo pensado que había arrojado por la puerta de atrás, convencido de que ya no iban a estorbar. Sin embargo, si alguien me pregunta el porqué de ese viaje, le contesto Por viajar, y si pregunta cuál es mi punto de vista le contesto El de un viajero; si pregunta con mayor insistencia Quiero conocer tu punto de vista político, yo contesto Según el caso. Si me hallara en la Unión Soviética sería anticomunista, de hallarme en la India o Chile sería comunista, etc.

¿A ti te convence Dios?" me grita en un lugar entre y mí la puerta por la que salí. Dios no me ha iluminado de tal modo para que yo esté convencido de él y camino hacia una cada vez más negra oscuridad. Por lo tanto tu no crees en Dios, te he calado grita él. Por qué te vuelves, al instante, tan malditamente teológico le grito yo antes de escaparme, tozudo, todo derecho, definitivamente a la noche. Sales de nuevo de viaje me sigue gritando, despreciativo a más no poder creo yo, y si contesto es inverosímil que me entienda por la negrura infinita entre él y yo, entre humano y humano, mientras que yo adivino en la incertidumbre lo universal. Sólo sospecho, en el primer irreal chispazo de luz, el destino que persigo, el punto de partida del viaje que acabo de terminar, con los cachivaches delante de la puerta trasera, la espalda de mi interlocutor por fin visible en la puerta de entrada, de pie en la noche, intentando divisarme inútilmente, puesto que yo, acercándome a él, siempre me alejo más de él. Sólo he contado un cuento nuevo. Y mientras sigo caminando, siempre más, uno pregunta súbitamente, uno a mi lado, uno al que adelanté durante mis caminatas y al que yo, gustoso, hubiese querido dirigir la palabra, un actor: "¡Ay, qué bien! ¿Pero como hay que representar la totalidad? Y yo contesto, mientras la noche me traga, como se ha tragado a todos, a todos, a todos: ¡Con humor!

IDEOLOGÍAS

Las ideologías son excusas para quedarse en el poder o pretextos para llegar al poder. Pero el poder se puede sostener o conquistar con los medios del poder: con la violencia. Así justifican los ideólogos no solamente el poder sino también la violencia, con cuyas víctimas actúan posteriormente como las funerarias: aderezan lo que han ajusticiado.

INSTITUCIÓN

El movimiento de un átomo aislado es impre-
visible. Las estrellas son calculables. Son instituciones de átomos. Estas instituciones están
sometidas a leyes que deforman necesariamente
a los átomos. De la misma manera las instituciones de los humanos deforman al ser humano.

CAPITALISMO Y SOCIALISMO

Si hoy se trata de superar forzosamente el capitalismo, hay que tener presente que el capitalismo no representa un sistema, sino un orden, aunque también hoy día perdido, y que por ello, no pudiendo ya contar con él, tiende a generar sistemas abstractos, y que se trata de sustituir estos sistemas anticuados, no por otro sistema, sino por un orden nuevo que sólo el socialismo, el Estado como democracia, puede desarrollar; no como sistema, sino como democratización de la democracia; y finalmente, de manera más concreta, hoy estamos ante la tarea política de conservar el Estado como individualidad y no degradarlo a mero sistema.

CLASES

El genio de Marx dio con el concepto de las clases. La humanidad se divide en dos clases: una que explota y otra que es explotada. La clase explotadora representa al humano, visto desde el individuo, como una comunidad de lobos, libre pero injusta; la clase explotada representa a la humanidad desde el punto de vista general, como no libre y tratada injustamente, achacando esta explotación a la clase explotadora. De este modo, apareciendo la clase explotada, por así decirlo, como pasiva, se convierte, no hacia un nosotros íntimo, sino hacia un nosotros general con el que todos, los humanos no libres e injustamente tratados, se pueden identificar.

CLÁSICOS

No es por falta de respeto si me abstengo de elevar a Schiller a lo absoluto, definitivo, ejemplar, en fin a comportarme de tal modo como si los clásicos fueran los bienes más sagrados de la nación, no porque yo no considere a los clásicos como un bien, sino porque, en este punto, desconfío de las naciones. Para el escritor activo, sin embargo, puede haber sólo un beneficio, una relación humana con los clásicos. No quiere ver en ellos ídolos, no prototipos inaccesibles, sino amigos, interlocutores estimulantes o también, con la misma legitimidad, enemigos, creadores a menudo de novelas aburridas y obras de teatro patéticas. Quiere acercarse a ellas y volverse a alejar, sí, escribe él, para poder olvidarlas, porque, y también eso es legítimo, en el fondo le estorba que en el acto de escribir, de planear, de ejecutar, antes que él, como habían escrito, pues cada creación está en cierto modo ligada a una momentánea megalomanía.

SCHILLER Y BRECHT

Como autor dramático Schiller es, quizás, un desastre del teatro alemán si se le quiere designar como maestro. Sus normas y trucos viven posiblemente sólo para él; ya en Grillparzer y Hebbel todo se vuelve dudoso, bueno sólo para estudiantes de germanística. En Schiller aparentemente no hay nada que se pueda aprender; es, posiblemente, inimitable, un caso excepcional, aniquilado por halagos y afectado por prejuicios; todo esto está en tela de juicio y no es analizado con detalle o carece de importancia. Lo que queda es un impulso poderoso, una fuerza pura, una extraordinaria empresa arriesgada, nada para grandes tiempos, pero sí para tiempos difíciles. Fue obligado a aceptar un mundo por las circunstancias históricas que tuvo que condenar (Brecht en el Berlín-Este tuvo que condenar lo que había aceptado, el destino del revolucionario auténtico). Él no atacó, sino que intentó establecer la libertad intocable del ser humano. Para él la revolución no tenía sentido porque la libertad era más importante que la revolución. No intentaba modificar las circunstancias para liberar al humano, esperaba cambiar al humano para la libertad. Asignaba a su nación, de la cual emigró bien pronto, el reino del espíritu. Dividió, como los dioses griegos, el mundo. En el reino de la naturaleza domina la necesidad, en el reino de la razón la libertad, la vida está en contraposición al espíritu. La libertad no se realiza gracias a la política, no se logra mediante la revolución, la libertad está siempre presente, como condición básica del humano, aunque el humano hubiera nacido entre cadenas. La libertad se manifiesta pura sólo en el arte, la vida no conoce la libertad. La mayor desgracia no es la servidumbre, sino la culpa, la revolución reemplaza la servidumbre por la culpa: a ella se opone la sublevación de la Confederación, el levantamiento de un modesto pueblo primitivo de pastores que nosotros, suizos, aparentemente antaño fuimos. El ideal de la libertad se deja realizar sólo en un mundo ingenuo; en el mundo no natural la libertad se convierte en algo trágico. Sólo se puede llevar a cabo mediante el sacrificio. En las obras dramáticas de Schiller se manifiesta un mundo incondicional, sometido por leyes férreas, entre cuyas veredas pasa estrecho y duro el camino de la libertad.

Si nos arriesgamos a pensar este mundo, tenemos que rechazarlo como hacemos igualmente casi siempre con el de Brecht. Si presentimos en el uno nuestra ruina, sospechamos en el otro nuestra opresión, así que preferimos dejar en vigor a ambos como un mundo poético, gozándolo. Puesto que exigimos la libertad en sí, sin consideración con nuestra culpa, autorizamos a Brecht, puesto que no salimos airosos de Schiller: ambos poetas son nuestros jueces, pero no nos preocupamos de su juicio, sino que admiramos el estilo en que ellos han escrito.

SCHILLER Y GOETHE

Como en Kant, la razón presta, para el sujeto, las apariencias del mundo; así, Schiller tiene que crear, representar, lograr, encontrar su idea del mundo. Mas ese procedimiento tiene un límite inexorable: el pensamiento no penetra nunca en la realidad sino sólo, como expresa Schiller, hasta la ley, hasta los símbolos, hasta los tipos. En esta facultad de conocer sus límites reside quizás su mayor importancia. Pensaba severa e incondicionalmente, pero se detuvo donde había que pararse, se conocía ante todo a sí mismo, era su mayor crítico, se consideraba con más rigor que sus admiradores. Sólo considerándolo así, crítico del conocimiento, sus compromisos no son baratos, su idealismo no ajeno al mundo, su pensamiento no sólo abstracto. Schiller superaba la realidad en la que se veía situado. Su amistad con Goethe es como una obra de la razón práctica, la célebre definición que de las creaciones de Goethe y Schiller delimitan el uno del otro y, sin embargo, dependientes, al mismo tiempo filosófica y diplomáticamente, de un compromiso reflexivo por el amor a la vida, una fórmula que facilita la amistad. Goethe supo exactamente lo que proyectaba. El fenómeno Goethe rebate en lo más profundo la concepción de Schiller. Goethe no es explicable con el concepto del ingenuo, aparecen posibilidades reflexivas y artísticas que Schiller se había negado. Schiller tuvo que comenzar de nuevo a derribar lo construido.

El pensamiento puro no es realizable, el pensador que arriesga rendirse encuentra la forma pensando así hasta el fin. Schiller se arriesga de ahora en adelante. Trabaja de otra manera, obra de manera nueva. Abandonó la filosofía y escribió sus obras clásicas. Rompió con la ley que él mismo se había impuesto, se desprendió de su tiempo intentando avanzar hacia el drama poético. Mas también obrando así le queda el destino de su naturaleza que aceptó para sí como pensador: querer llegar a las cosas pero no alcanzarlas nunca. Sólo así podemos reconocer su patetismo, su retórica, como algo único, no como algo hueco, exagerado como parece a veces, como tiene que parecer, sino como una enorme tendencia del pensar hacia el mundo, como la pasión de la fuerza de la lógica misma, que quiere convencer sin perder la claridad que quiere encarnar lo más detallado en lo más sencillo. Él, que es popular, es sin embargo el más difícil, el más inaccesible, el más contradictorio de los autores dramáticos. Ninguno es tan difícil de evaluar como él, ninguno tan difícil de asentar, en ninguno saltan a la vista los errores como en él y en ninguno son tan irrelevantes. Ocupándonos de él, crece, aumenta de lo lejano a lo cercano.

COEXISTENCIA

Tenemos que llegar a un acuerdo con el mundo comunista y con su desarrollo y también reconocer que en el mundo libre, como nosotros lo llamamos, existen formas de gobierno peores que un sistema comunista. El que tiene algo contra el comunismo no significa, en modo alguno, que tenga algo para la libertad. El comunismo no es lo peor, para muchos países significa un verdadero progreso, aunque no para todos. Tenemos que ocuparnos del comunismo no sólo de momento, sino constantemente. Coexistencia no es, por tanto, una astucia, sino una necesidad. Lo que nosotros tomamos por astucia son las disculpas ideológicas de los comunistas, con las que intentan disfrazar su coexistencia. Tampoco nosotros obramos de otra manera: nosotros existimos gracias al comercio con el Este. También nosotros reiteramos, al mismo tiempo, nuestro anticomunismo para calmarnos ideológicamente, como pasaporte para nuestro comercio exigimos igualmente una contundente declaración democrática.

COMUNISMO

Nos tenemos que ocupar del comunismo. Nos ha paralizado desde hace mucho tiempo como fantasma de nuestro temor, ambos nos hemos quedado de piedra. Pero lo que de su lado es lógico, pues representa una ideología que por naturaleza no conlleva en sí la posibilidad de un diálogo, no es lógico de nuestro lado. Nosotros podemos llevar con el comunismo un diálogo auténtico, pero no él con nosotros. Nosotros lo podemos superar, considerándolo sin temor, repensándolo siempre de muevo, separando su error de su verdad; él no está en condiciones de que nos contemplemos, ellos y nosotros, sin temor. Tenemos que hacer lo que el comunismo desaprovecha, si no, tanto nosotros como él, nos quedamos petrificados en una ideología.

El Animal 1949

GUERRA

Incluso la guerra depende de si los cerebros electrónicos predicen su rendimiento, aunque ese no será nunca el caso porque se sabe, siempre y cuando funcionen los ordenadores, que sólo son pensables matemáticamente las derrotas. Cuidado si ocurren falseamientos, intervenciones prohibidas en los cerebros electrónicos, aunque aun esto sería menos embarazoso que la posibilidad de que un tornillo se afloje, una bobina se funda, una tecla reaccione equivocadamente: sería el fin del mundo por cortocircuito técnico, por conexión errónea. Así ya no amenaza ningún Dios, ninguna justicia, ningún fatalismo como en la quinta sinfonía, sino accidentes de tráfico, roturas de diques a consecuencia de una construcción defectuosa, una explosión en una fábrica de bombas atómicas debida a un ayudante de laboratorio distraído o a reactores mal instalados. Hacia ese mundo de averías nos lleva nuestro camino.

CRÍTICA

Un sencillo elogio o una dura crítica no representan una crítica, también debe estar justificada. Es asombroso que raras veces, y a menudo, críticos célebres sepan justificarlas. Sólo escriben bien. Detrás de sus críticas han colocado sólo sus prejuicios culinarios. A ellos les gusta la cocina francesa o la cocina casera alemana, prefieren la ensaladilla rusa o las conservas americanas. Su crítica es un reflejo de su personalidad y no de lo criticado. Sus justificaciones son proyectiles brillantemente pulidos que disparan sin apuntar y que sólo aciertan en la imaginación del público.

La esencia de la crítica consiste finalmente en tener que rendir cuentas: un juicio legítimo sobre una cosa. Reflexionar se convierte lamentablemente en una obligación. Para el crítico es obligatorio un cierto esfuerzo intelectual. El autor debe ser tomado en serio para que pueda ser tomado al pie de la letra. El crítico tiene que someterse sin piedad a un método, aun siendo éste incómodo. Tiene que repetir, en cierto modo, el juego del autor. Sólo así se pueden reflexionar las jugadas del autor, sólo así podemos reconocerlas como erróneas o justas. El crítico tiene que demostrar su autoridad caso a caso, está sujeto a la ley de su profesión. El honesto y necesario duelo entre crítico y autor debe ocurrir sobre el campo que está definido por la obra de la que se trata, si no la crítica será diletantismo.

ARTE

Que el arte no tenga objeto, que su fin sea buscarlo en él y no fuera de él es una exigencia imposible, no encontrándose su valor en su objetivo, sino continuamente en la empresa de conquistar los objetos, el mundo: está en el camino, no en el punto de partida o de llegada, absolutamente en su declive, así como un río sólo existe porque fluye, mejor aun, así como el sentido de la navegación, cuya esencia consiste en hacerse a la mar hacia un puerto desconocido, y no en seguir reglamentos sobre como construir una galera en tierra firme o ir de compras a una isla lejana. El arte de la navegación, el llevar el timón, la hace grande o pequeña. Esa es la aventura que le había sido encomendada y, de haberlo logrado, de su dignidad. Arte es conquista mundial, porque representar es una conquista y no una reproducción, una superación de distancias a través de la imaginación. (No hay otra superación de distancias, otro viaje a la Luna, más exacto aun, a Betelgueuse y a Antares, más aun, no hay otra superación del abismo entre las cosas que a través de la imaginación). Arte es tener valor para volver a hacerlo siempre, perseverancia, no abandonar, originalidad, ver que el mundo debe ser descubierto siempre y conquistado de nuevo. Pues sólo entonces nuestra vida es una gracia o una maldición, no una mera existencia mecánica si podemos ganar o perder en ella en cada momento del mundo.

La crisis del arte puede sólo consistir en que surja la opinión (y en qué período no surge) de que ya se ha descubierto y conquistado el mundo, si el lugar del arte se convierte en algo estático, por decir, en un inventario de existencias o en algo aclaratorio, digamos una ilustración, o incluso en algo provechoso, bueno para horas íntimas junto a la chimenea, para seducir a una mujer, para el embellecimiento de nuestra fiesta nacional el primero de agosto o para coronar al carnicero mundial.

No existe un arte puramente consciente, de la misma manera que tampoco existe uno puramente instintivo.

La pregunta consiste en si el arte que un día tenía validez puede tenerla también hoy. El arte nunca es repetible, si así fuera sería ridículo, si no fácil, seguir escribiendo con las reglas de Schiller.

ARTE Y REALIDAD

Cada obra de arte representa un aspecto de la realidad.

La realidad es lo objetivo; lo representado y el aspecto son lo subjetivo.

Cada obra de arte representa de una forma subjetiva un aspecto subjetivo de la realidad.

Si una obra de arte pudiera reproducir la realidad sería objetiva (como algo pasivo), puesto que una obra de arte sólo puede representar la realidad subjetiva (como algo activo).

Cada obra de arte es subjetiva.

La realidad que representa una obra de arte es una "realidad subjetiva".

Cada realidad subjetiva está contenida en la realidad.

Es imposible que una obra de arte escape de la realidad.
La tarea de la sociedad es descubrir en la obra de arte su realidad.

La realidad de la sociedad es la estructura política en la que se desarrolla.

Cada estructura política se deja representar por dos lados: por el lado de los poderosos y por el lado de los dominados.

El miedo ante la obra de arte es doble en los poderosos: que los dominados descubran en ella a su dominador o bien a ellos mismos como dominados.

Cada obra de arte puede tener eficaces consecuencias políticas: se puede transformar en una parábola política.

En la experiencia de una obra de arte como parábola política se equipara aquella con quien lo vive, con la realidad política.

Que una obra de arte tenga consecuencias políticas depende de la sociedad.

Que una obra de arte tenga consecuencias políticas no se puede predecir.

Cuanto más impremeditada se presenta una obra de arte, tanto más intenso será su efecto político.

El arte político premeditado fácilmente será ineficaz políticamente.

Un grito no es un poema.

Cada obra de arte necesita distancia para su contenido.

Si su contenido es rebelión, su distancia es reconciliación.

Si su contenido es reconciliación, su distancia es rebelión.

Si su contenido es tristeza, su distancia es consuelo.

Si su contenido es consuelo, su distancia es tristeza.

Si su contenido es una tragedia, su distancia es la comedia.

Si su contenido es una comedia, su distancia es la tragedia.

Si su contenido es desesperación, su distancia es felicidad.

La desesperación no reconoce distancia.

No existe una obra de arte desesperada.

La distancia se consigue con el humor.

El humor es la máscara de la sabiduría.

Sin máscara la sabiduría es inexorable.

El humor hace soportable lo inexorable.

Lo insoportable, sin piedad, no es sabio.

Para el arte existen sólo los humanos.

Para la política existe sólo la humanidad.

Sólo los humanos pueden ser felices.

La humanidad no puede ser feliz, así como tampoco lo pueden ser un número o una línea recta.

El fin de la política hace posible algo razonable, nunca la felicidad.

El que busca la felicidad en la política busca dominar.

Para la situación de la humanidad, como debiera ser obvio, es pensable una ciencia.

Una ideología no es una ciencia.

Lo plausible es la estructura natural más imaginable en la que los humanos deberían vivir juntos.

Son imaginables dos estructuras científicas: una que se determine por leyes naturales y otra por reglas.

Cuál de ambas estructuras eligen los humanos depende del grado de su racionalidad. Cuánto más irracional es el humano, tanto más tiende a una estructura de leyes naturales.

Los humanos tienden a aceptar una estructura de leyes naturales.

Las catástrofes siempre van en aumento, los crímenes son cada vez más terribles y las leyes siempre más draconianas.

Ninguno de ambos sistemas garantiza la felicidad.

Quien destruye ideologías destruye justificaciones de la violencia.

La violencia no rebate a la violencia; sustituye, en el mejor de los casos, una violencia por otra.

La política permite pronósticos discutibles.

Optimismo y pesimismo permiten pronósticos discutibles.

Una obra de arte no conoce pronósticos discutibles.

Donde lo humano está de acuerdo con la humanidad; en el único pronóstico seguro: en la muerte.

Cada obra de arte es apocalíptica.

AMOR

El amor es el intento desesperado de escaparse de uno mismo, de verse reflejado en otro. Así, toda historia de amor, tanto la más sublime o la más normal, como la más grotesca, y también la más deplorable, tiene al mismo tiempo algo grandioso y banal y es tanto más triste cuanto más vulgarmente termine, aunque todos suspiramos de alivio porque el buen hombre o la buena mujer o la buena muchacha se haya librado de un amor desgraciado; aunque el amor haya sido infeliz era, al fin, amor. El hecho de que cada amor es una prueba ante sí mismo, recíproca, en la que los participantes fracasan o si no fracasan, (sólo superan la prueba y a duras penas y con esplendor los santos) es finalmente lo más incómodo y lo mejor que se puede decir del ser humano. Que las personas, a pesar de todo, se arriesguen a amar, esa es su gloria paradójica.

El amor es un milagro que siempre es posible.

El mal es una realidad que siempre existe. La justicia condena el mal, la esperanza quiere mejorar y el amor pasa por encima. Sólo él es capaz de aceptar el milagro como es. No hay nada tan difícil, lo sé. El mundo es terrible y absurdo. La esperanza de que haya un sentido después de tanto sinsentido, detrás de todos estos sobresaltos, la pueden conservar sólo aquellos que, no obstante, aman.

LITERATURA

Como escritor hago, es cierto, literatura, pero me reconozco cada vez menos en ella; en particular sobre la ciencia que tiene trato con la literatura estoy sólo vagamente orientado. Por lo que veo se ha desarrollado por un lado hacia una sublimidad e independencia que se las arregla con dos o cuatro clásicos; la literatura nueva realmente me estorba. Cierto, se es benévolo frente a lo irrelevante, pero la gigantesca catedral de la literatura está construida y es perfecta. A esa iglesia-literatura se enfrenta otra cosa más sectaria cuyo campo visual abarca desde Benn hasta Ionesco; en estas sociedades secretas ya está superado el humano moderno. Más también en estos círculos me parece que ha aumentado más la ciencia literaria que la creación literaria en que se basa; en realidad yo quisiera proponer, si fuera crítico de literatura, el abandono definitivo de la literatura para entregarme a la ciencia literaria en sí. Me parece sintomático aquel sabio que después de la lectura de la guía telefónica exclamó: "El argumento es, a saber, cero, pero ¡hombre, qué directorio de personajes!"

La opinión de que la literatura se deriva de la literatura no se puede erradicar. Comprensiblemente.

Ver la literatura como acontecimiento que se desarrolla según leyes inmanentes en el cual un estilo sigue al otro y un poeta al otro, tiene algo de cautivador.

Esta suposición puede ser también necesaria para la ciencia y, aunque sólo como hipótesis de trabajo, el escritor lo evita. Él no se siente como resultado de un desarrollo histórico. Está en la literatura y no frente a ella. Es menos un reconocedor que un actuante. Tiene que olvidar la literatura si no quiere que ella lo paralice. Su privilegio es injusticia frente a sus antepasados y colegas. Brecht lo puede aburrir indeciblemente y cualquier otro autor dramático desde hace tiempo desaparecido (imposible de representar) irritar desmesuradamente, todo es posible; lo más absurdo puede ser, para su propia producción, más útil que lo más razonable, lo seguro. Mas, ante todo, no se ocupará de la literatura sino del mundo en el que finalmente vive, por cada noticia que recibe de él, por cada convulsión de su inmensa vitalidad, de tal modo y con tanta insistencia que, frente a él, le parecen de segundo orden preguntas literarias o artísticas: sólo el mundo aporta la materia válida para convertirla en literatura.

Antes del derrumbamiento 1975

PODER

Cuanto más se destruye el mundo de los negocios, y con ello la zona de sus conceptos, el mundo capitalista por consiguiente, (no tengo lo más mínimo en contra) cuanto más caigamos en la zona del lenguaje socialista, lo que parece inevitable, tanto más peligro corre el mundo de sucumbir ante los conceptos que de poder absoluto le pueden ser aplicados. Olvidamos fácilmente que no sólo el dinero otorga poder, sino que también los conceptos otorgan poder, que el poder absoluto es el mayor negocio y que el poder es absoluto cuando dispone del sistema de concepto absoluto de una idea absoluta.

De Hitler y Stalin no se pueden volver a hacer un Wallenstein. Su poder es tan enorme que ellos mismos son aun casualmente formas de expresión exteriores de este poder, sustituibles a voluntad, y la desgracia que se asocia con el primero y bastante con el segundo se ha vuelto demasiado extensa, demasiado confusa, demasiado cruel, demasiado mecánica y a menudo también demasiado sin sentido. El poder de Wallenstein es aun un poder visible, un poder visible hoy sólo en las partes más pequeñas, como en un iceberg, la mayor parte está sumergida en lo sin rostro, en lo abstracto.

PINTURA

Pintar, como retratar, es una vivencia, no como una fotografía, sino más parecido a un recordar que a un reproducir. Para documentar los instrumentos sobre los humanos necesitamos los testimonios de los humanos sobre los humanos. Lo concreto es lo primario; lo abstracto lo secundario, El mundo está contenido en lo concreto, eliminado en lo abstracto como apariencia. Lo concreto del humano es su individualidad, su unicidad. A la corriente en que ha ido a parar nuestro pensar, inevitablemente le desagrada lo individual. Nuestra época nos ha obligado a la abstracción (científica, económica, poética). Necesita lo calculable, tiene que aprender a planear. Lo individual es incalculable, estorba, pero existe. La pintura puede repetir la tendencia de una época u oponerse a ella, pero no puede huirla. En ella tampoco existe un retorno a Mozart. La pintura puede ser abstracta o concreta, pero ya no romántica. Sólo puede apuntar a algo común, a leyes o formas o a algo individual. Lo individual es sólo enton-ces romántico y con ello burgués si se establece como algo absoluto y no se entiende como una reacción dialectal que fuerza una constelación necesaria. Lo individual, y con ello lo concreto como fin de la pintura, es hoy día aun sólo posi-ble como una oposición, como una corrección de la tendencia frente a la época para que ésta no se vuelva inhumana. Lo individual, entendi-do como idilio o anarquía, no es sino una reac-ción redundante contra la época.

MARXISMO

El mundo resbala, queramos o no, irrevocable-
mente hacia la izquierda, lo comprobamos, es su
tendencia. Bien, existe una especie de obligación
de ser marxista, mas no si repetimos como un
loro el marxismo, sino reflexionándolo. Precisamente en él tenemos que plantear la exigencia de
la libertad del espíritu. La libertad es todo menos
inocente. La libertad del espíritu es la aun posible libertad que le queda al humano. Es un riesgo,
como cada libertad. Gracias a ella se examina la
política siempre desde el punto de vista individual.
Ella arrastra la libertad política consigo y asume
finalmente la pregunta sobre el control del poder. El juego del ajedrez no cambia de reglas si se
enfrentan los mejores jugadores. Una política sin
oposición es inhumana y se petrifica en instituciones, sólo una oposición permite conservar a la
política su carácter juguetón, sin el cual no existe
la política. El marxismo se convierte en una farsa
si sobre él no se dejan construir nuevas libertades,
la discusión libre sobre lo que hay que realizar.

El error fundamental del marxismo consiste en que (otra vez el patrimonio hegeliano) la libertad ocurra por sí misma una vez que se haya instaurado la justicia. La justicia no se ha instalado en ningún país marxista (porque se había imaginado encontrar la justicia en vez de buscarla). Y donde se movía fue pisoteada (en nombre de la justicia encontrada). El resultado paradójico consiste en que el marxismo creó el verdadero estado de clases, aquel de los administradores y los administrados, dicho moderadamente, a lo cual se han unido entre los administradores (reducidos a una oligarquía) y los administrados (que abarcan casi toda la población) otras clases de administradores administrados que administran a otros, que, por su parte, forman de nuevo otra clase, etc (No es extraño que en el Este se comprenda a Kafka, siendo un poeta religioso como crítico social, o sea, como crítico de un seguro no orden social capitalista). En cambio las clases en los Estados modernos del Oeste son mucho más ficticias. Así nos espera la aun paradójica tarea de formar un Estado marxista sin marxismo, tomar a Marx en serio, pero no dogmáticamente, superarlo finalmente en vez de reinterpretarlo continuamente: tenemos que desprendernos de nuevo de una Edad Media.

Mientras que el marxismo, en su observancia dogmática, vuelve a condenar la sociedad examinada, proyectando en ella la lucha de clases simultáneamente como desgracia y como medio de lucha, en vez de aceptar el capitalismo como un orden natural, aunque cruel e indigno del ser humano, para convertirlo luego, como dado, en digno del humano; con artimañas, si se quiere, contrapone a este orden carcomido sospechoso un sistema demasiado idealizado y por ello que funciona sólo imperfectamente; una maquinaria de partidos será perversa, estereotípica por la naturaleza humana, se congela la lucha de clases, las nuevas clases cristalizan con el tiempo en castas. Puesto que el materialismo dialéctico que debe conducir a la libertad no consigue superar sus utopías y está basado sobre una visión científica anticuada, injertada por amor a la mitología del partido, sometiéndose a su infalibilidad a pesar de los muchos intentos por ignorarlos a veces, se incorpora de nuevo la Edad Media aristotélica, se convierte en lo que reprocha a sus adversarios, en reaccionario; como la Iglesia cristiana respecto al cristianismo, así guía el partido comunista al comunismo ad absurdum. Ambos se combaten entre sí como los mayores enemigos. Así como la Iglesia impedía que la cristiandad se volviera cristiana, así impide el partido a los comunistas ser comunistas. Se puede objetar, sin embargo, que sin Iglesia no existiría la cristiandad, ni siquiera como apariencia cristiana, ni sin partido el mundo marxista como apariencia comunista. La pregunta es solamente si no se hubiese podido renunciar a la apariencia. Seguro que no, a causa de la debilidad humana.

Puesto que Marx se crió en la época de la visión del mundo mecanicista, que todo lo determinaba, que sólo conocía la causalidad, viendo en la dialéctica de Hegel el principio causal hacia el cual se desarrollaba la sociedad, previamente calculable, como la constelación de los planetas, Marx extrajo la libertad de la política por obligación, puesto que no existía en la naturaleza, mas no para destruir una libertad que realmente no existía, sino para que algún día, en el futuro, hacer posible lo imposible, la libertad absoluta, a saber, la libertad para el pueblo, no para el individuo, también esto consecuentemente lógico, pues si el individuo se extinguiera un día en lo común y no tuviera por ello necesidad de su individualidad, al final queda la anarquía como utopía sublime.

También el neomarxismo en boga hace lo suyo, ese intento de volver a erigir un sistema marxista, si no en la realidad, al menos en la cabeza, construir a la buena de Dios un esquema ideológico que, como sistema, puede ser intolerante en vez de trabajar en un orden social. Como todos los utopistas y escatólogos los comunistas son demasiado impacientes; si fuesen más pacientes su tendencia podría tener efectos muy positivos. Donde lo existencial se enfrenta a lo ideológico, el ideólogo toma partido contra lo existencial, lo correcto no es lo que es, sino lo que debería ser, aunque también lo que es sea necesario.

La ideología marxista se ha convertido en Rusia hace tiempo en opio para el pueblo que ya no surte efecto. Sustituye, bien es verdad, a la religión, pero sólo incompletamente, pues representa una religión de congelador de pensamientos congelados. El pueblo añora más y más una religión reconfortante, lo que por el contrario induce al partido a avivar aquel sustitutivo de la religión que desde siempre reconforta a las masas: el patriotismo. Sin éste, la Unión Soviética nunca hubiera aguantado la Segunda Guerra Mundial. La Unión Soviética necesita enemigos: en la política interior a los disidentes como traidores y en la política exterior a los imperialistas como belicistas. Así se enreda consigo misma. Necesita económicamente la distensión y en la política la Guerra Fría. Que en los Estados Unidos se manifiesten las mismas características es aun peor. Una libertad llevada tantas veces ad absurdum termina en una ideología inverosímil y al final tiene siempre que accionar el freno de emergencia irracional del patriotismo. Así como en el caso de Afganistán. Lo que ocurrió fue histeria. Sólo una señal de nuestro desorden, de nuestra irracionalidad. El caso de Afganistán amenaza a la Unión Soviética más que a nosotros. Ante ella sólo es posible una actitud cínica.

Es imposible cambiarla, pero tampoco necesitamos creer en sus disculpas. Tenemos que permitirnos ser chantajeados por la Unión Soviética y la Unión Soviética no se puede permitir no chantajearnos. La situación es fatal, pero tan grotesca que no será completamente desesperada. Eso sólo lo será si nosotros nos volvemos ideológicos. Basta con que lo sea la Unión Soviética; si también nosotros caemos en la trampa, moriremos todos de muerte heroica.

HUMANO

Conocemos mejor los tres primeros minutos de la historia del Universo que los tres millones de años de la historia humana. Es natural. Los humanos son imprevisibles, los astros no. El humano, considerado como organización de materia no es ni una Vía Láctea, ni un quásar, ni la roja supergigante Aldebarán, ni la enana amarilla que llamamos Sol, sino el ser más complicado en el mundo conocido, tanto en su estructura como también en sus procesos químicos engranados o en su forma de reaccionar frente a estímulos exteriores; este ser, zoológicamente como homo sapiens, ya no es una rareza desde hace tiempo, compuesto de un sinfín de moléculas enormes que se unieron en células, compaginadas, abriéndose paso unidas a un código genético de una sola célula dirigida por la extremadamente compleja estructura material de un cerebro que produce su conocimiento, su pensar, su conclusión lógica, pero también decide su inconsciente, sus instintos, sus imprevisibles emociones y agresiones, sí, su atroz irracionalidad que, en comparación, hace que los animales parezcan racionales.

Si consideramos la heterogeneidad de la humanidad en su conjunto, este superorganismo de un superorganismo que siempre de nuevo y sin sentido se vuelve terriblemente contra sí mismo, así somos, lo que hacemos pasar por legitimidades históricas, siendo sociales, económicas, sicológicas e incluso irracionales son, en el mejor de los casos, intentos de declarar estadísticas y conjeturas incompletas que permiten sólo vagos pronósticos y, en el peor de los casos, sólo títulos de capítulos relativamente estéticos de una novela de aventuras que llamamos historia universal; no porque el humano y la humanidad sean en sí irracionales, sino porque no son interpretables en sí. El mismo Sócrates que, como el Apolo délfico, exigía conocerse a sí mismo, admitió sólo saber que no sabía nada.

El humano no es una cuenta que se salda, una fórmula que se deja apuntar, es un misterio y porque se creó como misterio estamos necesitados de obrar como si el humano fuese descriptible. Actuamos en el escenario por una creencia, estamos obligados a una ficción, bajo esta presión descansa nuestro teatro, cada teatro, nuestra cultura, cada cultura, analicemos más concretamente a nuestra sociedad, a cada sociedad. La verdad no se deja engañar, sólo podemos jugar sinceramente, a nosotros no nos es posible obrar correctamente sino sólo sinceramente, francamente: que nos abstengamos de esta evidencia convierte el escenario, el mundo, siempre de nuevo en una farándula.

MORAL

Todos nosotros participamos, también el que escribe, tanto si estamos de acuerdo con el mundo en que nos encontramos como si no, tanto si protestamos contra él, nos comprometemos, nos afiliamos a partidos políticos o hasta los fundamos para cambiarlo, etc. Nosotros participamos porque estamos implicados, no sólo por incontables lazos sociales, culturales, políticos y económicos con el mundo en su conjunto, sino también como miembros de un Estado que no somos capaces de captar en su conjunto, como parte de un pueblo que nos marca exteriormente que, siéndolo o no, también como miembros de una comunidad que se disuelve en otras comunidades, o como empleados de cualquier empresa que por su parte está unida a otras empresas: el ovillo es inextricable, existen sólo teorías sobre el desorden de estas relaciones, un puñado de factores, la mayor parte suposiciones vagas. Participamos involuntariamente, aunque sea también protestando o dejándonos arrastrar por la corriente de la época. Participar no tiene que ser, por principio, algo negativo. Distingamos: participamos porque estamos convencidos de la necesidad de participar,

un participar moralmente positivo. Participamos a pesar de no estar convencidos de la necesidad de participar, un participar moralmente negativo. Si el participante positivo se compromete a participar desde el punto de vista del asunto, el participante negativo no se compromete a pesar de que participa, su participar es un acompañar, un ceder, es una debilidad, una falta de posición moral. El participante positivo es activo, así como el participante negativo es pasivo. Para el participante positivo es fundamental reconocer el asunto del que se ocupa como algo necesario, como algo bueno siendo significante, si ese asunto en sí también es necesario o no, bueno o malo; su evaluación sobre su participar reside sólo en su convicción, en el conocimiento que tiene y no en si su conocimiento en sí es exacto (también existen decepcionados participantes positivos); así, para el participante negativo no tiene importancia la convicción o el ignorar el asunto en que uno participa: éste no participa por amor al asunto, sino por sí mismo. El participar negativo es un no-ocuparse por el conocimiento (que va dirigido al asunto en la que se participa), sino también una no-realización del conocimiento, un no-obrar según el conocimiento, un obrar contra el conocimiento del asunto en que se participa no sólo por no necesario, sino hasta por malo. Finalmente un no hacer caso de la creencia, en este sentido sin creencia no hay aprobación del conocimiento (porque no existe un conocimiento puro). Naturalmente existe también un participar negativo por pereza: uno participa sin pensar porque el asunto en el que participa está de moda, etc. Pero el verdadero participante negativo más alarmante es el intelectual que participa a pesar de todo. Este intelectual no necesita ser en absoluto un especialista limitado (lo que le disculparía): lo determinante es que le falta el sentido moral. Esa carencia, en él, es realmente nihilismo: que obre o no obre en contra de su conocimiento es para ellos incomprensible pues son de la opinión de que al reconocimiento de la necesidad le sigue también su realización. Si así fuera el mundo sería otro, si se arriesga a emplear en realidad esa palabra, no como tópico, sino como una ejecución sin sentido de leyes aparentes, que no lo son, si se toman como leyes y no como conclusiones. La moral es la realización de ese conocimiento.

NACIONES

El destino de los humanos depende de si la política se decide por fin a respetar la vida de cada individuo como algo sagrado o si la puta política sigue saliendo a la calle para aquellos para los que nada es sagrado. La señora se tiene que decidir. Lo que los jefes de Estado hacen, responsables de las relaciones que mantienen con ella, es una burla que hace brotar el rubor en cara a la razón y que asusta continuamente a todos aquellos que nunca lo necesitan: el resto de los dos mil millones que habitan este planeta. La injusticia tozuda de la política que pasa por alto a cada individuo, en que ella, según el método eterno de los estúpidos, se contempla sólo como real lo que es una abstracción, a saber, las naciones a las que ella cuelga el sambenito por motivos que uno nunca tiene, impide finalmente ser aun indulgente frente a ella y hablar con persuasión. Lo que ahora, ante todo, tiene validez es no entender nada, no comprender nada de lo que está en juego. El absurdo de la política actual está clarísimo. La manera en que por ambas partes se juega con una Tercera Guerra Mundial no se abandona, puesto que la guerra no es solamente un crimen descabellado, sino igualmente una locura y no se puede justificar absolutamente con nada.

EUROPA

Mientras, en verdad, Europa celebra el espíritu, pero no el efecto que merece, y vive según los beneficios, siendo además demasiado pusilánime para superar las ventajas nacionales de los individuos e impotente para hacer lo que la razón prescribe con una claridad inexorable, comete un mayor crimen que aquel que niega el espíritu y arriesga (¡qué autoburla grotesca!) tender la mano al espíritu. Cada uno será juzgado a su modo y medida y el juez oculta silencioso la cabeza. El que prohíbe la libertad la toma más en serio que aquel que abusa de ella; el que abandona la personalidad gana más que aquel cuya derecha no sabe lo que hace su izquierda; y el que subyuga al cristianismo lo entiende mucho mejor que aquel a quien le es indiferente.

ALEMÁN

Lo que por supuesto protege a las liebres de las balas de los cazadores es la ciega certeza de que lo que se mueve en aquel matorral, en el que se supone la vitalidad, haya un león. Sobre todo en la literatura alemana en la que se suponen valores detrás de cada mente clara, profundidad detrás de cada sentimentalidad y sanción detrás de cada palabrota. Bien pudiera ser. Desgraciadamente nada se admira tanto como la huída hacia la vitalidad y parece a veces moda que un poeta a un tiempo también sea un mentecato. Todo lo vital tiene un crédito tan grande, aunque el cerebro no vale gran cosa, que ya se admira hasta la copia a pesar de que finalmente son los bueyes y no los pensadores los que nos matan a pisotones. Por otra parte se consideran moralistas radicales como Wedekind o Brecht, de los que tengo un alto concepto, como nihilistas y eso es ridículo. Los hombres de pura cepa, por cierto no muy despiertos pero buenos, que a puñados alborotan a través de las obras dramáticas alemanas y en fin no comprenden en la mayoría de los casos el mundo, siempre me parecieron antipáticos. También he tenido que pensar, a veces días enteros, sobre la mala suerte de que la figura teatral alemana más interesante sea la del diablo.

SUIZO

El suizo no soporta bromas sobre su ocupación, todo cae fácilmente en lo solemne, lo honrado y por consiguiente no las entiende en el arte en absoluto: las musas no están sobre un lecho de rosas sino que tienen que corresponder a su exigencia de cualidad sólida y mantenerla eternamente.

Suiza debe entender que ya no es la Suiza de Guillermo Tell, sino una Suiza de los casos Mirage, Bührle y Florida, una Suiza que estorba por su democracia a la democracia, porque también la democracia, como la cultura, no es una posesión, sino que representa una obligación que debe ser perseguida diariamente en un arduo trabajo minucioso.

A LOS SUIZOS Y
A LOS ALEMANES

Desde hace ya mucho tiempo no somos un pueblo de pastores, así como tampoco ellos son un pueblo de poetas y pensadores.

LOS SUIZOS Y LA REPÚBLICA
DEMOCRÁTICA ALEMANA

Lo que irrita a los suizos respecto a la RDA no se funda solamente, como se afirma a menudo, en su ideología, sino aun más, en lo que también le irritaba en el super-alemán, en la mezcla fatal de tesón, pedantería e ideología.

SUIZOS Y AUSTRIACOS

La Suiza primitiva no estaba naturalmente en guerra con Austria, sino con los Habsburgo, que al mismo tiempo también eran suizos (la caverna de los capuchinos como cementerio de los suizos del extranjero) así que el real enemigo hereditario no es el austríaco, sino el suizo (también Gessler, que fue asaeteado por el héroe nacional Guillermo Tell, era suizo). El suizo ve por ello en el austríaco a un doble al que le fue asignado otro destino. El austríaco y el suizo son como habitantes alpinos univitelinos y que, como gemelos univitelinos, sufren también en otros ambientes: ambos son hoy neutrales.

URSS Y EEUU

Los Estados Unidos piensan comercialmente. Por eso tienen dificultades para pensar políticamente. La URSS piensa políticamente. Por ello piensa poco económicamente.

La dramaturgia política de ambos imperios es, una y otra, diferente. En la Unión Soviética todo ocurre contra una sociedad sometida, en los Estados Unidos ocurre todo para una sociedad caótica. Es el ejemplo del rearme: en la URSS es evidente que el pueblo lo tiene que pagar caro, le hace cualquier lujo inalcanzable y genera una falta de bienes de consumo, mientras que el rearme representa en los Estados Unidos un regulador. La industria privada es tan potente y satisface los deseos de los consumidores tan totalmente que ha alcanzado de tal forma los límites de sus posibilidades de venta que el Estado, para mejor aprovechar la capacidad de la industria privada y evitar el desempleo, encarga producir aquellos artículos que no compitan con el consumo: armas. ¡Nadie se pasea a gusto en un tanque! Así el rearme significa en los Estados Unidos paradójicamente una prestación social del Estado. Crea puestos de trabajo que la industria privada, sin encargos estatales, no podría facilitar.

Desgraciadamente para las víctimas es más o menos igual si caen a causa de las armas por razones de la industria privada o por aquellas que fueron construidas a la fuerza por razones políticas.

En ningún lugar encontré tanto ¡hurra! patriótico y tal sentimiento de ser tratado en el extranjero ingrata e injustamente, como en Rusia. Los Estados Unidos se permiten el patriotismo y encuentran curioso si otras naciones también se lo permiten. El derecho al patriotismo lo admiten los Estados Unidos realmente sólo a los rusos.

Me temo que también los rusos sólo admiten el patriotismo a los Estados Unidos. Rara vez se encuentran ciudadanos soviéticos que pongan reparos a la política exterior rusa: si hubo indicios de insatisfacción durante la ocupación de Checoslovaquia, por lo visto faltan completamente frente a Pekín. Sobre las experiencias con los negros en África circulan historias horripilantes. También alguien, en Moscú, me contó que los egipcios poseen aun esclavos, cada capataz dos y cada trabajador uno; además, a los ingenieros rusos se les ha prohibido conducir en sus coches a esos esclavos al lugar de trabajo, mas a mi pregunta por qué apoya entonces la Unión Soviética a Egipto, se me contestó porque los judíos son fascistas.

Es fácil establecer un diagnóstico para la Unión Soviética: arterioesclerosis. Un arterioesclerótico no es capaz de reconocer novedades ni de reconocer la necesidad de implantar novedades. Vive en el pasado. Así se mantienen los rusos sólo por ese motivo como revolucionarios, por haber llevado a cabo una vez la revolución, así como muchos suizos se tienen por héroes porque algunos de sus antepasados vencieron en 1315 en el Morgarten.

La Torre III: La Torre americana

Los Estados Unidos son más difíciles de diagnosticar. Los síntomas se contradicen y su sin número desorienta. Un órgano combate al otro, una célula a otra. Aparecen úlceras. Eso puede indicar un cáncer, mas, por temor a este diagnóstico, los Estados Unidos toman cada síntoma como una enfermedad diferente y lo combaten independientemente de los otros síntomas.

Visto a distancia, quizás se pueden comparar los Estados Unidos con la Roma de antes del Imperio, cuando éste, de verdad, se convirtió en potencia mundial, enredándose siempre con nuevas y mayores dificultades internas, mientras que la Unión Soviética se parece más a la Roma Oriental, que era un Estado totalitario, instalando el cristianismo como ideología. La Unión Soviética es un marxismo bizantino.

En ambos imperios es importante la tradición. En Rusia el Estado era sagrado, en los Estados Unidos la libertad ilimitada. Lo siguen siendo. Rusia consiguió su imperio en tenaz conquista, extorsionando a los mongoles y a los pueblos turcos hasta que finalmente envolvió a China; los Estados Unidos conquistaron un continente mediante el derecho del más fuerte de sus tramperos y sus pioneros económicos. Los ideales de una nación se vengaron, Iván el Terrible y Rockefeller no son modelos impunemente, como tampoco Bonnie y Clyde. Así pues se aguanta humildemente en Rusia al gobierno y en los Estados Unidos se sigue creyendo aun en el self-mademan, sin preocuparse de si ha ganado una fortuna inconmensurable legal o ilegalmente. Respecto a esa pregunta se ocupan sólo las películas de Hollywood, desde luego con una advertencia: los personajes son pura invención.

PALESTINA

Nunca tuvieron un Estado. Nunca tuvieron lo que ahora quieren por causa de lo que los judíos querían, porque se vieron obligados: un Estado; y lo que los palestinos quieren ahora, no lo quieren, porque lo que ahora tienen no es nada. Persiguen una idea: llegar a ser como Israel. Para ello se necesita tiempo y tiempo es idéntico a paz, puesto que su existencia es sólo posible gracias a la existencia de Israel, si desaparece Israel es su propia desaparición. Pueden ser abandonados en la estacada en cualquier momento por los árabes.

Se vuelven sirios, egipcios o jordanos según el desenlace de los combates que se desencadenan entre los árabes, siempre y cuando Israel sea vencido por los árabes. La existencia del Estado judío recibe así el sentido político de cooperar con los palestinos para que estos consigan sus derechos: su Estado. Tan pequeña como es esa región que llamamos Palestina, una nada sobre el globo terráqueo, hay sitio para dos Estados, así como también para muchas culturas. Esto presupone que los palestinos reconozcan el Estado judío y los judíos el palestino.

ISRAEL

Israel es una concepción contra lo instintivo, su destino es el del humano. Lo que nos permite luchar por ese país no es su necesidad, que se justifica con cada dialéctica (que en el fondo es sofística), sino la audacia de su concepción: en ella es visible la audacia del ser humano. Israel es por ello un experimento de nuestra época, una de sus más peligrosas pruebas de resistencia. No sólo los judíos, sino que también los árabes, se examinan con este experimento, más aun, también todos nosotros.

SISTEMAS
FILOSÓFICOS

Si cada uno, hasta ahora, ha intentado derivar su obligación de una ideología general o al menos haber esperado encontrar una para girar como la Tierra alrededor del Sol, así uno vuelve ahora de nuevo a encontrarse en el centro, por fuerza, pues después del derrumbe de los sistemas filosóficos, se derrumba también el de las ciencias naturales, sí, siempre se acumulan más indicios de que las ciencias naturales son incapaces de formular una ideología. El misterio del mundo permanece intacto.

FÍSICA

La física trabaja hoy con medios e instalaciones técnicas que Einstein nunca tuvo a su disposición. Los descubrimientos en los gigantescos sincrotones corren a toda velocidad, siempre se detectan por los ordenadores partículas elementales más pequeñas y también pronto interpretadas por los ordenadores; se espera, por fin, encontrar lo realmente incoherente, el átomo indivisible de los griegos, el físico y metafísico punto uno, con el cual fuera posible construir y hasta reconstruir el mundo. De fracasar este proyecto fáustico, ese fracaso sería más deplorable que el fracaso de Einstein. Pues su fracaso fue grandioso, él tenía sólo su mesa de trabajo.

POLÍTICA

La historia es algo aproximativo, una mamarra-
chada blasfematoria, puesta en escena por negli-
gencia, por casualidad y por olvido. Así como
el físico necesita las matemáticas, que en el fondo al menos consiguen controlar la naturaleza
inexplicable, así necesita el político el poder para
guiar la actuación de los humanos. Aun sabien-
do que también su poder es sólo ficción. Puesto
que en realidad depende de aquellos que le im-
pulsan al poder, dependiendo de esos otros que
necesita para llegar al poder y dependiendo de
aquellos que se someten ante su poder.

En el seno de un sistema la política, la fe en
ella y la confesión de esa fe, son idénticas. Sólo
hay que confesar esa fe: si uno cree o no ve-
hementemente en ella es secundario. Por eso el
cinismo insoportable de aquellos que gobiernan
esos sistemas y, por desgracia, cada vez siempre
más de aquellos que son gobernados por ellos.

Ya no se trata de organizar centros de poder y
pelearse por fronteras. Hay que definir la tarea

de la política de nuevo. Algunos esperan todo de ella, otros ya nada. Algunos han hecho de ella una metafísica y otros un negocio; es necesario hacer de ella un instrumento que no explote al humano, sino que lo proteja. Eso significa: crear una economía que no encubra la desigualdad ante el hecho de que una parte de la humanidad vive en el bienestar y la otra mayoritariamente en una pobreza lamentable.

Hay que borrar del repertorio de la humanidad el baile alrededor del becerro de oro, la música que lo acompaña es cada vez más insoportable, da cada vez más da capo y en otros escenarios ya se baila alrededor de nuevos becerros. Las tareas de la política están en el presente y no en el futuro, se trata de nosotros, no de los nietos por nacer, en cuyo nombre se matan los de hoy.

PÚBLICO

El público es inexorable, aunque tampoco in-
sobornable. Le pueden seducir hechos sensacio-
nales, entusiasmar poses afectadas, conmover
hechos morales, cegar convencionalismos, des-
alentar lo novedoso. Su injusticia es su derecho,
su justicia asombra continuamente.

DERECHA E IZQUIERDA

Nada en contra de una disputa de todos contra una paz sospechosa. Pero todo contra aquella división injuriosa de cada humano pensante en derecha e izquierda, en marxista y fascista, progresista y reaccionario, del o una cosa u otra", esas categorías medievales que burlan el espíritu del progreso.

RELIGIÓN

La religión es para nosotros algo personal y por ello, irrelevante políticamente. Lo religioso, por emplear esa palabra nebulosa y sospechosa, ya no es para nosotros asunto de Estado; aun cuando también el Estado la tome bajo su protección, teniendo ella el poco orgullo de permitirlo, aunque también el Estado sólo tolerase la religión, sea por respeto, sea por tradición, porque para el Estado lo religioso representa una costumbre venerable que debe ser conservada como se conservan monumentos, fiestas populares, desfiles de trajes regionales y agitadores de banderas, así la religión debería sentirse aun más agriamente ofendida si el Estado, se aprovecha de ella por razones ideológicas, como por ejemplo en España, lo que conduce a la ridiculez de que el Estado, para salvarse, se vuelva más católico que la Iglesia, que ya ve perdido al Estado.

REVOLUCIÓN

Yo mantengo que las revoluciones a veces tienen sentido, pero a menudo no lo tienen. En América Latina, por ejemplo, me puedo imaginar revoluciones que tienen sentido, mientras que en Estados muy industrializados, con un aparato administrativo enorme, con una economía estrechamente entrelazada y con un alto nivel de vida, las revoluciones posiblemente no tienen sentido porque lo serían sólo aparentemente. Se debería asumir el aparato administrativo, hasta adaptarlo a un sistema aventurado; los compromisos serían forzosamente de tal manera que al fin la revolución no recompensaría a las masas, sino a la dirección de los revolucionarios: por su ilusión de haber realizado una revolución.

ESCRIBIR

El escritor es, por cierto, libre, pero ha de luchar por su libertad. La lucha se desarrolla a un nivel económico. También el espíritu ocasiona gastos. Está sujeto a la ley de la oferta y la demanda; una frase cruel a nivel del espíritu.

Al escritor le sienta bien orientarse según el mercado. Así aprende a escribir, a escribir con astucia, a avanzar con lo suyo bajo circunstancias impuestas. Ganar dinero es un estímulo para escribir.

La profesión de literato se mide como profesión libre ante todo por el éxito. El éxito no afirma nada sobre el valor de una profesión literaria, señala solamente que la profesión de literato crea un producto vendible. Es admisible que esta circunstancia no satisface.

La profesión de literato como profesión libre sigue siendo un riesgo con un resultado injusto para muchos (y sin ventanilla donde presentar una queja).

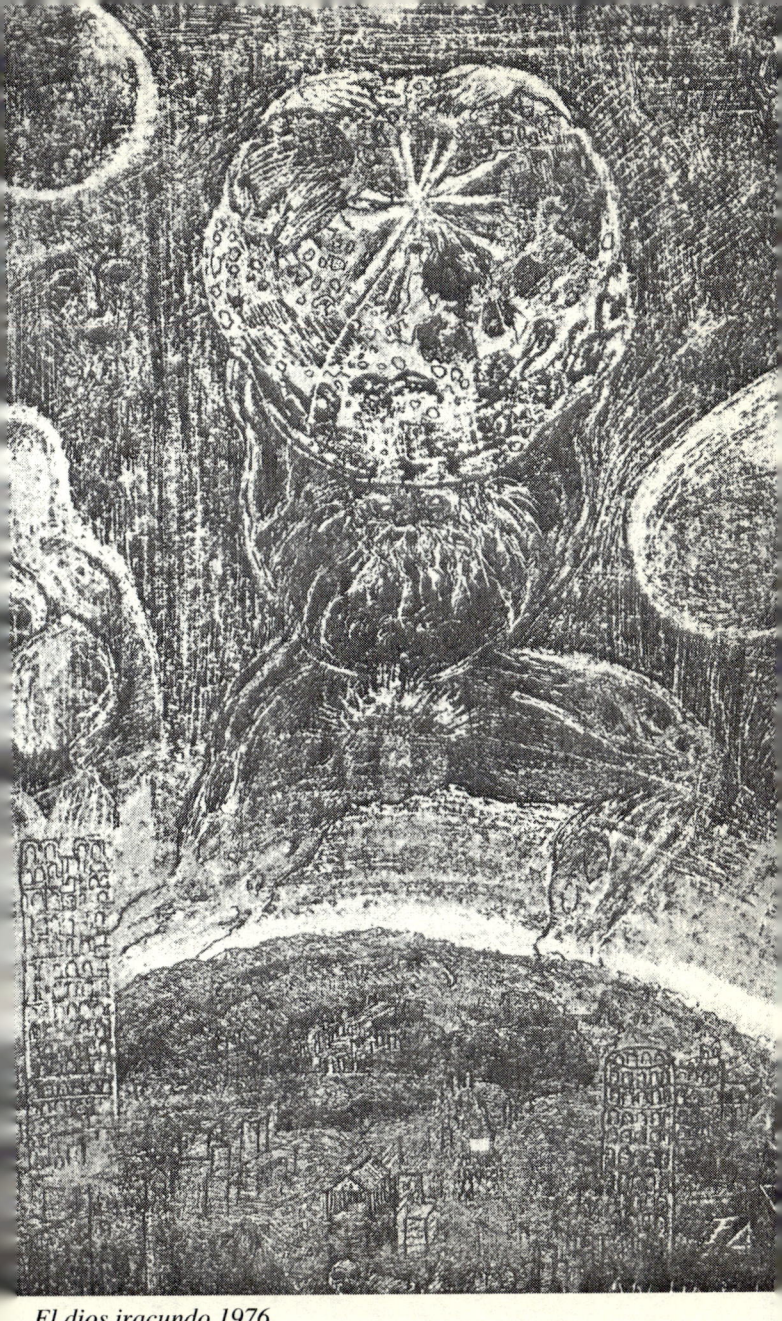

El dios iracundo 1976

POR QUÉ ESCRIBIR

Constantemente me preguntan por qué escribo. Precisamente esta pregunta demuestra la dificultad de esta profesión. Se plantea porque mi profesión, aparentemente, no se toma como algo natural. Si yo diera una respuesta normal, por ejemplo, escribo para ganarme la vida y la de mi familia; o para hacer reír a la gente; o, lo que es igualmente importante, para irritar a la gente, el interrogador se indignaría, pues él pregunta para oír algo completamente diferente, por ejemplo: que escribo gracias a un impulso interior. No obstante, con la mano en el corazón, si también fuera cierto lo del impulso interior, ¿quién podría hablar honradamente de ello?. "Escribo para ganarme la vida y la de mi familia" es una respuesta honrada, mas así hemos rozado la dificultad de la profesión de literato en nuestro tiempo sólo en parte, pues la pregunta por el sentido de escribir se plantea siempre porque sigue la opinión habitual de que el escritor tiene algo que decir cuando escribe. Y decirnos algo lo tiene sólo aquel que tiene que decir algo extraordinario. Mas esa pregunta del ciudadano corriente del porqué uno escribe se repite de forma modificada en la crítica que investiga el mensaje de una obra.

Preguntado por el sentido de mis obras, contesto generalmente que si yo supiera el sentido de mis historias no haría otra cosa que escribir el sentido, sólo el mensaje, ahorrándome el resto. ¿Declararía yo así que mis obras no tienen sentido? No lo creo. Lo que estimo es más bien lo siguiente: si acaso preguntamos por el sentido de la naturaleza, la respuesta del científico será, por regla general, evasiva. Su tarea no consiste en investigar sobre el sentido de la naturaleza, sino sobre la naturaleza misma, sus leyes, su comportamiento, sus estructuras. Mas no revela la naturaleza. Su sentido no puede estar sino fuera de ella, la pregunta respecto a su sentido es una pregunta filosófica. Análoga es la pregunta en torno al sentido de una obra teatral, por ejemplo. Esa pregunta no hay que plantearla, en realidad, al autor, sino al crítico que, como es sabido, tiene una respuesta para todo.

LITERATURA AMENA

Que el humano quiere ser entretenido es siempre un mayor estímulo para ocuparse de los productos de la profesión de literato. Contando con el estímulo del entretenimiento humano, los grandes escritores escriben precisamente con amenidad: entienden su negocio.

CONTAR HISTORIAS

¿Existen aun historias posibles, historias para escritores? Si uno quiere escribir sobre sí mismo (románticamente), generalizar su yo lírico, no siente la necesidad de hablar sobre sus esperanzas y derrotas, enteramente sinceras o del modo en que se acuesta con mujeres, como si la sinceridad le transportase a lo objetivo y no, más bien, a lo medicinal o, a lo sumo, a lo psicológico; si no quiere hacer esto, sino más bien renunciar discretamente, velar cortésmente lo privado, tener delante de sí la materia, como un escultor que trabaja, desarrollándose en ella e intentar, como una especie de clásico, no desesperar en el acto aunque apenas pueda ignorar el disparate que en todas partes aparece, entonces escribir se vuelve más difícil y más solitario, también más sin sentido. Una buena nota en la historia de la literatura no interesa (¿quién no recibió ya buenas notas?, ¿qué chapucerías no fueron premiadas?). Las exigencias de hoy día son más importantes.

COMPROMISO

Una perogrullada puede ser algo espantoso, la manifestación de una súbita comprensión profunda o algo banal: depende sólo de que contexto proviene la declaración. Siempre es el contexto, el fondo, más importante que la frase sola. Las frases solas: los niños para los maternales, para que prosperen; los coches para los buenos conductores, para que se conduzca bien; y el valle para los regadores, para dar fruto; pueden afirmar todo más o menos: cada capitalista, cada comunista, un colono, un Pestalozzi y un Bert Brecht. Depende solamente de qué mundo se está hablando, si se vuelve banal o no y banal se vuelve en el momento en que yo me haya comprometido como escritor con uno de los partidos actuales. Ahora sé muy bien cuán peligrosa puede ser esta frase y cuán equívoca. No quiero afirmar con ello que el escritor no deba ser político, hoy sólo puede ser político, pero precisamente por eso no puede pertenecer a un partido, no debe comprometerse. Eso se funda en su obra, que no es una acumulación de, más o menos, declaraciones, filosofías y opiniones precisas, sino, elementalmente, algo diferente. Cada cual es, por lo tanto, más exitoso cuando trabaja en lo suyo, si es dramaturgo escribe piezas de teatro. Ese acto de escribir, pues, es otra cosa que el acto de filosofar o del acto de indignación ante situaciones penosas, tonterías, beaterías; bien entendido: sólo ese acto, sólo las horas en que él es sólo dramaturgo y no otra cosa. Lo que él además también es, lo que piensa, a lo que se atiene, a qué partido se adhiere, es otro cantar, no tiene importancia en los momentos de escribir sus obras.

TEMAS

¿De qué manera conforma el escritor el mundo? ¿De qué manera le da él una cara? Ejerciendo decididamente otra cosa que una filosofía que quizás ya no es posible. Abandonando decididamente la profundidad de pensamiento, utilizando el mundo como materia. El mundo es la cantera de la cual el escritor ha de esculpir los bloques para su obra. Lo que el escritor persigue no es copiar el mundo, sino elaborar creaciones nuevas, levantar mundos propios de tal manera que, puesto que los materiales para su obra se hallan en la época actual, den una imagen del mundo. Mas, ¿qué es el mundo propio? El ejemplo más evidente: Los viajes de Gulliver. Todo en ellos es inventado, elaborado por así decirlo, un mundo de dimensiones nuevas. Mas, gracias a la lógica interna inmanente, todo se convierte de nuevo en imagen de nuestro mundo. Un mundo propio lógico no puede escapar fuera de nuestro mundo. Ese es el misterio: la coincidencia del arte con el mundo. Nosotros debemos trabajar sólo con los materiales. Eso basta. El tema está claro, también la obra está clara. Si el escritor lo ha comprendido se apartará también de lo privado, la posibilidad de una nueva objetividad, de un nuevo clasicismo. Si lo prefieren, se le abrirá una superación del romanticismo.

IBSEN, STRIMBERG, BECKETT, FRISCH O ESCRITORES EN UN ESTADO PEQUEÑO

Piensen en Ibsen, Strindberg, Beckett o en Max Frisch, mi colega suizo, piensen también un poco en mí o en el rol de los irlandeses en la literatura anglosajona. Pero también en Kleist o Büchner, oriundos del particularismo de los pequeños Estados alemanes, mientras que Gerhard Hauptmann pertenece a la única época en la que Alemania, desgraciadamente, era un gran Estado, mientras que Brecht ya de nuevo pertenece esencialmente al pequeño Estado alemán, ya ven, no me hago, como europeo, ilusiones políticas. Existe, naturalmente, una diferencia si un Estado ya sabe que es un Estado pequeño o si aun cree en su grandeza sin ser realmente grande (en Brecht quizás es explicable su tendencia hacia el comunismo), pero creo poder exponer una ley: habiéndose decidido el Estado a instaurarse como pequeño Estado, eso le facilita al escritor gozar de una libertad completamente nueva. La libertad, a saber, de tomar el Estado como debe ser: una necesidad técnica y no un mito de antropófagos. El pequeño Estado, instalado, dominado técnicamente, como lo encontramos en Europa, se ha desactivado políticamente él mismo; el mundo en su conjunto es ahora su problema, pero también, así es el mundo, el problema de sus escritores. Uno de los argumentos que confirma esta tesis es, por ejemplo, Ibsen. Como escritor de un Estado pequeño ha forjado las armas para los escritores de los Estados grandes porque no sólo le fue un problema su sociedad, sino la sociedad por antonomasia.

¿CÓMO ESCRIBIR?

Las exigencias que la estética plantea al artista aumentan de día en día, todo se orienta sólo hacia lo perfecto. De él se exige la perfección, adaptada de los clásicos, un paso atrás, por supuesto y ya uno los deja de lado. Esto origina un clima que sólo permite estudiar literatura, pero no crearla. ¿Cómo sale un artista airoso en un mundo de erudición, de los alfabetos? Es una pregunta que me agobia a la que aun no sé responder. Quizás lo mejor es que escriba novelas policíacas, arte allí donde nadie lo espera. La literatura debe ser tan ligera que ya no pese sobre la báscula de la crítica literaria actual. Sólo así volverá a ser de mucho peso.

CULPA

La tragedia presupone culpa, necesidad, mode-
ración, orientación, responsabilidad. En el des-
barajuste de nuestro siglo, en este último baile de la raza blanca, no existen ni culpables ni
tampoco responsables. Nadie es responsable y
nadie lo ha querido así. Todo funciona realmente sin cada uno de nosotros, Todo es arrastrado
y se queda enganchado en cualquier rastrillo.
Somos demasiado culpables colectivamente, estamos colectivamente demasiado revestidos de
los pecados de nuestros padres y nuestros antepasados. Somos simplemente los nietos. Esto
es nuestra mala suerte, no nuestra culpa: la culpa existe solamente aun como mérito personal,
como cumplimiento religioso. A nosotros nos
queda sólo la comedia.

COLEGIO

La cárcel de niños que llamamos colegio, creado aparentemente para familiarizar a los niños
con aquellos conocimientos que los adultos han
reconocido como adecuados para poder ir tiran-
do por la vida, me dejó también a mí, secundado
por mis padres y maestros, poco a poco, en la
estacada; empecé a leer. Lo que no era normal.

ESPECIALISTAS

Cada especialista dirige hoy, a su vez, un equipo de especialistas; hoy día uno puede ser lo más especialista posible; existen en su especialidad aun más especialidades que generan aun más especialistas.

LENGUA

El escritor presiente que hemos topado hoy con una realidad que está más allá de la lengua, y eso no en el camino hacia la mística, sino en el camino hacia la ciencia. Ve su lengua limitada mas, a menudo, hace con esa constatación un error lógico. No ve que la limitación es algo natural, puesto que la lengua debe estar arraigada finalmente a la imagen, quiere seguir siendo lengua, sino que él intenta ampliarla allende sus límites o, al mismo tiempo, disolverla. Pues bien, la lengua es algo inexacto. La exactitud la recibe sólo gracias al contenido, por el contenido preciso. La exactitud, el estilo de la lengua, sólo se determina por el grado de la lógica inmanente del contenido. No se puede trabajar en la lengua, sino solamente en la idea y en la idea se trabaja mediante la lengua. El escritor contemporáneo trabaja, a menudo, en la lengua. Es la diferencia. De esa manera es, en el fondo, indiferente lo que escribe. Pues bien, escribe, en la mayoría de los casos, sobre sí mismo.

ESTADO

El humano es, aparentemente un cenizo, no porque no pueda volar, eso ya lo puede hacer, sino porque siempre, una y otra vez, es seducido por el cielo para querer ser más que un ser humano: algo absoluto. Apenas, por ejemplo, la República Romana había puesto orden en el mundo antiguo, cuando se convirtió en un Imperio y el emperador en un Dios. Las personas se dejan gobernar por personas, pero quieren ver a esas personas como dioses. Esta es la primera seducción del humano por el cielo. Aun hoy es eficaz: Mao es semejante a Dios y un consejero federal, aunque comparado con Mao esté homeopáticamente diluido, tiene algo de sublime.

La segunda seducción por el cielo es infinitamente más delicada: que el emperador romano fuera un Dios no lo creía posiblemente ni el propio emperador. Era una solución jurídica de emergencia para cimentar de cualquier manera el imperio en el cielo. Fue el genio de Constantino el Grande quien tuvo la idea: es más plausible ser el representante de Dios que Dios mismo. Un Dios que derrama sangre se debe justificar ante los humanos; si se derrama sangre en nombre de Dios, uno se puede justificar con Dios como coartada. Se recurría a la utilidad del cielo como ideología del Estado. Con lo cual no debe decirse nada contra el cristianismo, sino contra el Estado Cristiano. Éste tiene, a mi modo de ver, demasiado sucias las manos.

ESTUDIANTES Y TRABAJADORES

Los estudiantes, que tienen que aprender a reflexionar porque el mundo actual sólo puede ser superado gracias a la reflexión, y que, por tener que reflexionar, no deben ser impedidos de reflexionar también políticamente, son el punto flaco de nuestro sistema. Se encuentran en la situación privilegiada de reflexionar sobre el sistema con el que se enfrentan porque aun no están completamente integrados en esa organización. Mas sus exigencias no provienen sólo de la reflexión, sino también de sus emociones. Como jóvenes se resisten instintivamente y como jóvenes pensantes se oponen al erróneo sistema existente. El empuje de los estudiantes decide si el sistema existente es erróneo y ¿dónde existe hoy un sistema correcto?

Mas esta situación privilegiada conduce a los estudiantes al aislamiento. Ellos no son una clase, como los trabajadores, son previamente adiestrados para ser una clase, su libertad consiste en que aun no son lo que deberían ser. Los trabajadores se integran en el sistema existente, están acostumbrados a ser integrados y tienden, por lo tanto, a organizarse. Sus derechos provienen de su función como clase. Los estudiantes aun no tienen una función legitimada, deben ser previamente funcionarios. Su derecho depende únicamente de la autenticidad de su reflexión. O bien únicamente intelectuales o no, científicos o no, sólo se pueden autorizar como intelectuales o científicos, sólo así pueden recibir una función, entonces son algo más que una manifestación del conflicto generacional. Su derecho se basa en la paradoja de que nuestra sociedad utiliza el conocimiento del humano como se utiliza una prostituta. Mas si los estudiantes derivan hacia el romanticismo, hacia lo imposible, se pierden en sutilezas ideológicas que sólo sirven para inventar nuevos adversarios con los que se pueda combatir como con molinos de viento, confundiendo finalmente la transformación necesaria de la realidad con un gigantesco jolgorio, desaprovechando también su oportunidad política.

TEATRO

Lo que más me gusta son las comedias disparatadas.

Mi grupo de teatro es el mejor y más caro del Sacro Imperio Romano Germánico.

La farsa de nuestra vida.

El penoso trompicar continuo en busca de la verdad y en la huída ante ella.

Se vuelve ligero en el escenario: un baile, una carcajada, un escalofrío agradable.

Compañero de juegos en realidad, enredado en la culpa, confidente de crímenes.

Necesitamos el engaño de las horas libres, de ser solamente espectadores.

Hoy no está de moda hablar de encantamiento en el teatro. El teatro parece haberse desencantado.Ante un público o acaso ante un crítico que tiene la candidez de dejarse hechizar gracias al teatro, se sonríe. Hasta al actor se le exige no identificarse con su papel, debe aparecer sobre el escenario como intérprete sociocrítico simultáneamente, al lado de sí mismo, duplicado por así decirlo (¿cómo se hace eso?). Aparentemente se han adivinado las intenciones del teatro, dominado, superado intelectualmente, ¡entendido!. La crítica actual de muchas revistas está al corriente: es una ideología. Estilo criptomarxista. Por lo demás, hay que admitir que la actividad teatral ofrece en sí, hoy, pocos motivos para que uno se deje hechizar, hace ya mucho tiempo que no es un milagro, a veces, a lo sumo, uno se asombra de que existan aun ciudades que la costean por un sentimiento vago de celo de cultura comunal y estatal, todo esto es posible, aunque yo no quiero cometer el error de glorificar los tiempos pasados, siempre las representaciones eran extraordinarias, magistrales, la excepción y no la regla y, mirándolo bien, cada época tenía su crisis de teatro; el teatro luchaba antaño contra la censura, bajo la opresión política; hoy sufre en libertad, si antaño estaba encadenada, hoy busca atarse. Por no hablar de su continuo problema económico. Pero aun y así, el que no está en condiciones de asombrarse una y otra vez, aunque fuera la representación imperfecta, dejarse hechizar una y otra vez por esta o aquella escena, en la que es igual cómo sea representada, o en esta o aquella puesta en escena teatral, olvidando por un momento los defectos de la obra; quien ya no es capaz de esto, no dará tampoco el primer paso que conduce a reflexionar sobre lo que a él le asombra, le hechiza.

TRAGEDIA Y COMEDIA

Sólo lo burlesco está hoy, posiblemente, a la altura de la situación. El que desespera, pierde la cabeza; el que escribe comedias la necesita.

Debo afirmar algo aquí. El cinismo frente a la vida o ante las circunstancias de la vida, a las cuales está uno sometido, o el dejar rodar la bola de lo ya hace tiempo reconocido como erróneo, requiere la seriedad que no se logra frente a la realidad en el arte, la falsa seriedad, el falso patetismo. El verdadero nihilismo es siempre solemne, como el teatro de los nazis. La lengua de la libertad en nuestra época es el humor, aunque sólo sea el humor negro, pues esa lengua presupone una superioridad también allí, donde el humano que la expresa es inferior.

El arsenal de los dramaturgos (autorretrato) 1960

La solemnidad falsa, la misión desmesurada, la seriedad, perjudican al teatro. Debemos ser, por lo visto, más humildes en asuntos del arte, sumergirnos en la profundidad del pensamiento. La libertad consiste, no obstante, en lo realizable, en lo no obligatorio. En esto parece haber una contradicción: lo realizable parece exigir la íntegra seriedad de una cosa, excluir lo burlesco. Contra esa exigencia se opone el teatro en sí. El teatro no es el mundo, ni siquiera una copia, sino un mundo construido, inventado, fabulado por el humano gracias a su libertad, en el que se desempeñan los sufrimientos y las pasiones sin tener que ser sufridas y en el cual la misma muerte no representa algo terrible, sino que sólo representa un truco dramatúrgico. Morir en escena sigue siendo uno de los mejores, imaginables, mutis, puesto que el teatro es en sí comedia y también la tragedia representada sólo la puede ejecutar el placer, precisamente, de la tragedia. La diferencia entre la tragedia y la comedia resulta, vista desde el escenario, desde el actor, insignificante.

Para la escena, no para la realidad, todo es real. El que exige para la escena y para la realidad el mismo efecto, como los ideólogos de teatro, pongamos por caso, no entiende ni de escena ni de realidad. Confunde la realidad con la dramaturgia, sustituyendo al mismo tiempo la realidad y la escena. Lo que verdaderamente tienen en común la escena y la realidad, porque esta y aquella intentan una y otra vez llevarlas al escenario, reside en la irrealidad de ambas. El teatro intenta siempre desesperadamente ir al mismo paso con la irrealidad de la realidad de hoy.

La dramaturgia es un intento de crear siempre nuevos modelos, un mundo que provoca siempre nuevos modelos.

En cada drama se erige un mundo de cuerpos, los sillares del drama son humanos y siempre lo serán.

Que el teatro ofrezca el placer de entretener y emocionar apenas nadie lo va a negar; sin embargo, el placer de irritar, enojar, indignar al público, curiosamente, lo niegan la mayoría de escritores, a pesar de que estoy convencido de que muchas obras de teatro han sido escritas sólo con ese fin y no precisamente las peores.

Los problemas que veo ante mí como dramaturgo con problemas de trabajo, prácticos, que se presentan, no antes, sino durante el trabajo, para ser exacto, en su mayoría después del trabajo, por una cierta curiosidad de cómo, en realidad lo he hecho.

A las dificultades de la profesión de dramaturgo, y quizás de cada arte, se añade el resignarse. Una obra de teatro es más tarde corregible condicionalmente, mas en la mayoría de los casos significa empeorarla. La obra yace allí, con todas sus faltas, como las encontramos en los objetos, en una silla o en una instalación de distribución. Son más bien defectos orgánicos, debilidades de carácter. Humanos sin tacha, por supuesto, apenas existen. Hay humanos que amamos, que admiramos; al lado, desgraciadamente, también hay criaturas deformes, imbéciles maravillosos, insoportables charlatanes. Y todos esos individuos tienen padres que, en virtud de su paternidad, ven en ellos algo fuera de lo común. Así les ocurre también a los autores. Reelaborar de nuevo una obra es el intento de educarla. Un trabajo problemático, pero que pertenece a las necesidades de nuestra profesión.

DRAMATURGIA

Shakespeare hubiera posiblemente puesto en escena el destino del desafortunado Robert Falcon Scott de manera que la trágica pérdida del gran explorador hubiera correspondido absolutamente a su carácter, la ambición habría cegado a Scott contra los peligros de las regiones inhóspitas en las que se aventuró; la envidia y la traición entre los otros expedicionarios hubieran añadido el resto para ocasionar la catástrofe en el hielo y la noche. En Brecht la expedición hubiera fracasado por motivos económicos y por motivos de conciencia de clase; la educación inglesa habría impedido a Scott confiar en perros polares y escogió, conforme a su rango social, poneys, a un precio superior que, en cambio, le obligaron a ahorrar en el equipo; en Brecht, el acontecimiento, el desenlace, el encuentro final, la última confrontación sería Scott, convertido ya en un bloque de hielo, sentado frente a otros bloques de hielo, parloteando sin recibir contestación de sus compañeros, sin la certeza de haber sido escuchado por ellos. Mas también sería posible una puesta en escena que mostraría a Scott yendo a comprar los alimentos necesarios para la expedición y quedando, por descuido, encerrado en una cámara frigorífica, dejando que se helara. Scott, preso en los glaciares ilimitados de la Antártida, alejado por distancias insuperables para cualquier ayuda, varado en otro planeta, muere trágicamente; Scott encerrado en una cámara frigorífica a causa de un percance ridículo, en medio de una gran ciudad, alejado sólo pocos metros de una calle frecuentada, primero golpeando casi cortésmente en la puerta de la cámara frigorífica, encendiendo un cigarrillo, eso puede durar sólo unos pocos minutos, luego aporreando la puerta, poco después gritando y martilleando la puerta una y otra vez, mientras que un frío cada vez más gélido se apodera de él, yendo de un lado a otro, saltando para procurarse calor, pataleando, haciendo gimnasia, haciendo la rueda, por fin, desesperado, arrojando alimentos ultracongelados contra la puerta; Scott deteniéndose, circulando alrededor de un espacio pequeñísimo, tiritando, castañeteando los dientes, furioso e impotente, ese Scott con un fin aun peor y por ello Robert Falcon Scott helándose en una cámara frigorífica es distinto que Robert Falcon Scott helándose en la Antártida; lo sentimos, visto dialécticamente, es otro, de una figura trágica se ha convertido en una figura cómica, no cómico como el que tartamudea o como alguien que ha sido arrollado por la envidia o la avaricia, una figura cómica por su destino: el peor desenlace posible que puede tomar una historia es el giro a la comedia.

Cuanto más envejezco tanto más aborrezco lo teatral, lo retórico, las sentencias y las frases hermosas. Renuncio más y más a los trucos dramáticos con los que se obliga a los actores a representar en el escenario a los humanos que, mediante palabras, se vuelven exhibicionistas. Intento mostrar dramatúrgicamente, siempre con más sencillez, ser siempre más parco, suprimir siempre más, sólo aludir. La tensión entre las frases me ha sido más importante que las propias frases. Mi dramaturgia se desarrolla entre las frases, no en las frases vistas desde el punto de vista del actor. Confío en su efecto más que en la literatura. Le hago llegar al actor frases que no quieren ser sino el último resultado de su papel. Integro la literatura en el arte dramático y no el arte dramático en la literatura. La escena es para mí un medio teatral, no un podio literario. Dicho más radicalmente: yo no escribo mis obras de teatro para los actores, las compongo con ellos. Abandono la literatura a favor del teatro, la literatura la hacen hoy los críticos. Eso significa que elimino más y más la escenografía, me atrae el intento de alcanzar el teatro únicamente con el actor que desempeña su papel con aquellos requisitos que él necesita. Mi escenario es un teatro de los requisitos, no de la escenografía. Sólo así me parece que puede legitimarse el teatro de hoy, como teatro que se reduce a sí mismo.

MENSAJE

Quiero pedir no ser considerado como un representante de un movimiento dramatúrgico, de una concreta técnica dramatúrgica, hasta el punto de creer que estoy delante de la puerta, como un viajante, de alguno de los teatros actuales, indoctrinados de ideologías a la moda, sea como existencialista, sea como nihilista, expresionista o ironista o lo que siempre está etiquetado en los potes de mermelada de la crítica literaria. La escena no representa para mí un campo para teorías, ideologías, mensajes, sino un instrumento cuyas posibilidades intento conocer y jugar con ellas. Naturalmente aparecen en mis obras personas que tienen una creencia o una ideología, no me interesa representar puros idiotas, mas la obra no está ahí por amor a su mensaje, sino que los mensajes están ahí porque en mis obras se trata de humanos y el pensar, las creencias, el filosofar, también pertenecen un poco a la naturaleza humana.

Muchos tienen aun hoy la opinión de que una obra de teatro es una especie de altavoz para el poeta para, con la ayuda de los actores, lanzar verdades al público, como si Shakespeare hubiera escrito El rey Lear sólo para decir que hay que educar a las hijas severamente o el Hamlet para meditar que ser o no ser es aquí la pregunta, o que, finalmente, Sófocles escribiera Edipo rey para prevenir el asesinato del propio padre y el acostarse con la propia madre. Muchos no saben aun que la dramaturgia, como el resto del arte, ha tomado un camino determinado: el camino de la ficción. Una obra de teatro puede hoy representar un mundo propio, una ficción encerrada en sí misma cuyo sentido reside en la totalidad. El que no sabe eso tampoco puede leer una partitura. Los mensajes, por usar una palabra que ha causado más daño al teatro que ninguna otra, del dramaturgo no son frases morales o profundidad de pensamiento. El dramaturgo expresa algo que no puede expresarse de otra manera que a través de una pieza. En la involuntaria moralidad del teatro está su moral, no ambicionada.

DIRECCIÓN ARTÍSTICA

Por ahí andan los inflexibles, los dictadores, los severos que siempre se enojan, a los que no les basta la escena, que siempre exigen el mismo producto perfecto y aquellos que se burlan sobre los productos siempre de nuevo transformados. Yo me adhiero a estos últimos, aunque con ciertas restricciones. Para mí lo determinante es el estilo inmanente, no el externo. Hay que expresar lo que quiere el autor, la idea vaga que él tiene, hay que acertar en su tonalidad. ¿Cómo se consigue eso? Puede hacerse de maneras diferentes, al director se le debe dar libertad, pero no arbitrariedad.

Hay también directores que, en el fondo, no montan en escena una obra, sino el comentario de la obra. El autor asiste a tales representaciones especialmente desconcertado. Se asombra de su profundidad, que se le ha ocurrido a otro y que luego de inmediato se traga también el público.

Que se presente debidamente el primer plano que yo doy, el fondo se ajusta por sí mismo. Yo no me cuento entre la vanguardia actual, es cierto, mas también yo tengo una teoría del arte, ¡cuántas cosas nos divierten!, la retengo como mi propia opinión, de lo contrario hasta me tendría que atener a ella y prefiero ser considerado como un hijo de la naturaleza, un poco enmarañado por falta de voluntad formal.

Naturalmente los directores y el arte teatral pueden echar una mano y también echar a perder esto o aquello, pero una obra sólo cuadra cuando si también soporta representaciones malas.

ACTOR

El actor sabe lo que quiere el público y se dirige al público, un principio más sano de lo que se cree por ahí, donde sólo se componen versos en sí. Raimundo y Nestroy son grandes dramaturgos porque eran grandes actores. Su estilo dramático y su arte teatral son uno.

CRÍTICA

La paradoja del crítico está en que sólo puede ser crítico si logró conservar su inocencia frente a lo que critica. Sin el niño en el hombre (o en la mujer) no existe una crítica teatral. Inocencia: exigirla de un crítico no es fácil, tanto más porque ella tiene también la exigencia de asistir, libre de todo prejuicio, a una representación. Estimo que la crítica sólo puede ocurrir después, no durante la representación; no existe un mirar crítico del crítico (como hay un mirar crítico del director durante la realización). La crítica sólo puede ser vista desde la totalidad y esa totalidad tiene que ser vivida primeramente. Debería ser evidente que la inocencia de lo vivido no excluya posteriormente la inocente reflexión crítica.

TOLERANCIA

Cada concepto tiene su propia verdad y cada concepto tiene su justificación dentro de todos los conceptos, una reflexión que, tan natural como se presente, también nos estorba más de lo que admitimos. Pues en la esfera del pensar queremos tener razón, precisamente aquí: reprimimos en exceso la lucha del mundo de la realidad contra el mundo de los pensamientos. La tolerancia espiritual es aun más problemática que la paz política, cuya condición previa es que no puede significar que cada concepto sea idénticamente verdadero, pues existen conceptos que sólo tienen un sentido cuando aquel que lo concibe lo acepta como verdadero, mientras que en otros conceptos no se plantea esa pregunta. La tolerancia existe sólo en el respeto ante las otras opiniones, aunque uno no las comparta, hasta en rechazarlas como erróneas; la tolerancia no es una exigencia estética, sino una exigencia existencial que cada uno debe plantearse primeramente a sí mismo si quiere planteársela a otros; la lucha con nosotros mismo antecede a la lucha por la paz. Hay reconocimientos que llegan tarde por eso: presuponen vivencias que, habiéndolas vivido, no estamos en condiciones de afrontar.

UNIVERSIDAD

La universidad no debería ser el lugar donde se acumula conocimiento, sino el lugar donde el conocimiento debe ser comprendido. Pero el conocimiento que debe ser comprendido también se deja ampliar y ampliándolo surgen, de lo comprendido, nuevas obligaciones. Cada conocimiento que es comprendido representa una creación de aquello que lo comprende y, con todo el respeto, frente a las tradiciones, a las transmisiones, a los convencionalismos, en cuanto cultura primaria, al contrario que la secundaria, no es una posesión, aunque también lo sea en el conocimiento; como quizás se pudiera hacer algo, por ejemplo un poema, una sonata, un cuadro, una reflexión filosófica, etc.. y que solamente no se hace porque no se logra lo anterior; un conocimiento, por tanto, que yo no "menosprecio", pero adicionalmente como algo que tampoco "sobrestimo", por cuanto la cultura primaria es, ante todo, otra cosa, no una posesión, mejor dicho, una forma de posesión, un conocimiento, sino más bien una aventura, no una adición, sino un previo comprender la creación de un poema, una sonata, un cuadro sin la certeza de lograrlo, sí, sin conocimiento anticipado de éxito; si así fuera, entonces no estaría en el conocimiento, sino en el método de comprensión integrado de la universidad, puesto que enseña comprensión en la cultura, cómo yo comprendo, siendo de cualquier modo artística-científica o hasta filosóficamente en una cultura del experimento, del examen de la crítica, de los modelos de pensamiento, de las anti-ideologías lanzadas con redes ficticias, de lograr algo supuesto y algo no supuesto vinculado con el instinto para la total puesta en duda también de una cultura así entendida, puesto que lo que siempre para el humano es una oportunidad puede terminar en una pérdida. Nada asegura a la humanidad. Ciertamente, una universidad bajo esas circunstancias no encaja del todo con los intereses de nuestra sociedad competitiva. Los conocimientos se pueden memorizar, la comprensión necesita tiempo y el que le roba tiempo a la juventud no deja que madure. Esto puede aplicarse a cualquiera, pero para la productividad se necesita una cierta pereza, sin la

164

cual es imposible que los científicos se puedan concentrar, vienen al mundo demasiado pronto, como bebés prematuros.

INJUSTICIA

Comparto con Sócrates esta opinión: la grandeza de un humano está en poder soportar la injusticia que le acaece;

Se necesita, por tanto, tanta grandeza que considero como un deber político mío intentar todo ante lo que impida a un humano verse en la situación de lograr la grandeza para tener que soportar tal injusticia.

PUEBLO

La afirmación de obrar en nombre de Dios no se puede comprobar porque Dios no se deja comprobar. La afirmación de proceder en nombre del pueblo habría que controlarla, pero no se controla, y si se controlase y solamente un individuo estuviese en contra, habría que excluir a ese individuo y habría que controlar nuevamente si todos, ahora, estuviesen de acuerdo de obrar en su nombre, puesto que pudiera ser que algunos estuvieran en contra a causa de la exclusión de ese individuo, por lo cual estos deberían ser expulsados a su vez, para que, por razón de un nuevo acuerdo, nuevamente otros deberían ser excluidos, etc. No se debe profanar el nombre de Dios, no se debe profanar el nombre del pueblo. No se debe profanar ningún nombre.

MUNDO

El mundo considerado como causal, el mundo como juicio final, ¿quién duda de la sublimidad de esta visión? ¿Existe otra que pueda competir con ella? Frente al mundo como paraíso nos estremecemos, vemos un mundo lleno de ovejas satisfechas, un rebaño que pace, que pastura, que carece de interés; nosotros mismos no nos vemos en ese mundo. Nos imaginamos un mundo ridículo, pensamos en la paz eterna, una cooperativa sociedad opulenta por no podernos despedir ni de la idea amigo-enemigo ni de la relación sujeto-objeto.

FIN DEL MUNDO

Todavía nos amenaza la desaparición de la humanidad. No es una simple hipótesis, técnicamente es posible. Para nosotros tomaría el peor cariz, pero para la vida y para este planeta, quizás, el mejor. Hemos desperdiciado demasiadas oportunidades para que el desarrollo de la historia se volviera hacia lo razonable. Los saurios tuvieron que renunciar a su dominio después de sesenta millones de años. Los dos millones de años que han pasado desde la aparición de nuestra especie pueden bastar. Un intermezzo corto, ni eso. Creímos ser los amos del mundo y hemos fracasado.

Mas ¿adónde nos dejamos llevar? ¿Hacia una orilla que nos salve o hacia una catarata que nos destroce? Lo uno o lo otro. Después del curso de toda la historia, natural o forzada, el humano habría sido algo único, tremendo, prodigioso.

La época se ha sumergido en una realidad que tiene telarañas en los ojos, pues la distancia que hubo entre el vidente y la imagen se ha desvanecido y con esa pérdida irreparable, no sólo de belleza, sino también de percibir el Apocalipsis sin aquella distorsión que se recibe hoy por causa de su actualidad: las siempre tan sombrías nubes ascendientes de las catástrofes ocultan los rayos de la gracia que aun no nos ha sido arrebatada. Los cuadros de Durero y del Bosco se han hecho realidad, los tapices de Angers son un paraíso perdido, cuya fe era posible que desplazase montañas, lo que hoy, tal como lo vivimos, parece una burla; ver el mundo en su ruina, aquel esplendor en que fue creado, principio y fin, un conjunto intachable; ver el desplomarse las ciudades como un ramillete de flores blancas al viento, la muerte, un deslizarse sin esfuerzo, floreciendo incluso los animales del mal, todo envuelto en la plenitud de un Dios para quien el mundo sólo es un taburete para sus pies y de quien somos sus criaturas.

CIVILIZACIÓN

Si no tenemos otra alternativa ¿subiríamos a un tren que marchara a toda velocidad a sabiendas de la imposibilidad de saltar a tierra? ¿Relatamos el futuro o relatamos la actualidad? ¿No nos ha conducido la sociedad moderna desde hace tiempo a una región civilizada salvaje, en la que el ser humano se comporta como un primitivo? El humano no comprende las fuerzas de la naturaleza que lo dominan, utiliza el teléfono, la radio, la televisión, el tocadiscos, la electricidad, los medicamentos, el ordenador, los aviones y coches, etc., sin entenderlos realmente; los científicos y técnicos que entienden algo de ello son tomados por los demás como curanderos que poseen conocimientos secretos con los que dominan el mundo. El humano se ha entregado a la barbarie de su civilización. Anida en esa selva como el campesino primitivo que trabaja su tierra. Está en su oficina o trabaja en la fábrica. Gana su pan con lo que le ofrece la civilización salvaje por su capacidad de trabajo sin entender del todo, sin comprender en todas sus consecuencias.

En contraposición a este humano surge una casta de humanos que se beneficia de la selva civilizada como un nómada que, en lugar de montar un caballo, va en motocicleta. No vive en la civilización, sino que la recorre, de empleo en empleo, de una casa en estado ruinoso a otra. Los roqueros actuales son los primeros humanos que se han vuelto a liberar en cierto modo de la civilización moderna; ya no se preguntan por su sentido, viviéndolo, no como prisión, sino como naturaleza. Protestan contra aquellos que, en verdad, creen vivir en una prisión sin sublevarse, sin embargo, en contra. Los roqueros escandalizan a los burgueses de miras estrechas que se han abandonado a su destino y lo han aceptado como inalterable.

FUTURO

El futuro de la humanidad es incierto, aun nos podemos agarrar al momento. La paz va a ser dura, siendo ahora después de una guerra sin sentido o sin razones, puesto que paz significa cotidianidad y lo cotidiano, lo ordinario, lo tedioso, aumenta siempre más y más. Nuestra intensidad decide si los bienes de esta Tierra se convierten en oro o en polvo en nuestras manos. La humanidad se puede permitir cada vez menos aventuras, como en épocas pasadas; de los vuelos a la Luna regresarían decepcionados, sólo vale encontrar nuevas aventuras: son las del espíritu. La política creará, en el más favorable de los casos, espacios sociales seguros. Iluminarlos será asunto de los individuos, si no la Tierra se convertirá en una cárcel. Una organización tiene que proyectar, sólo el individuo está en condiciones de darle a un Iván más importancia que a la Unión Soviética, restaurando así de nuevo el verdadero orden de proporción. Debemos exigir racionalidad de la política y amor de los individuos. Es asunto de la política ocuparse de que la oportunidad de algunos individuos se convierta en la oportunidad de todos los individuos.